Geraint Løvgreen

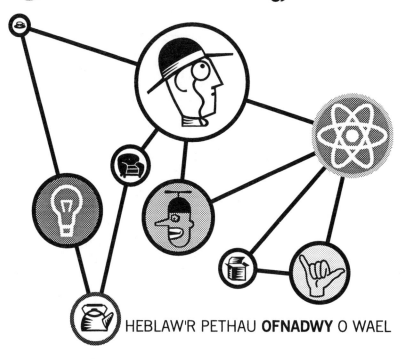

HEBLAW'R PETHAU **OFNADWY** O WAEL

GWASG Carreg Gwalch

*Rhaid amau doethineb cymysgu caneuon a cherddi
mewn unrhyw gyhoeddiad*

Rhybudd cyhoeddus gan ddarllenwr di-enw y Cyngor Llyfrau

Argraffiad cyntaf: Tachwedd 1997

(h)   *Geraint Løvgreen*

Rhif Llyfr Safonol Rhyngwladol:
0-86381-463-8

Clawr a dylunio y tu mewn: Almon

Argraffwyd a chyhoeddwyd gan Wasg Carreg Gwalch,
Iard yr Orsaf, Llanrwst, Dyffryn Conwy LL26 0EH.
☎ (01492) 642031

Cynnwys

i Gwilym, Mari a Gruffydd

Rhagair

Ar ôl i Myrddin ap Dafydd ofyn imi beth amser yn ôl a fuasai gen i ddiddordeb mewn cyhoeddi llyfr o 'nghaneuon 'Talwrn y Beirdd', mi es ati i ffeindio pob sgrapyn papur a chefn amlen oedd wedi'u stwffio i wahanol focsys ac amlenni o gwmpas y tŷ. Ar ôl hel y cyfan at ei gilydd, mi welais fod gen i lawer o ganeuon oedd wedi'u hysgrifennu ar gyfer gwahanol raglenni radio, fel 'Argraff' a 'Drwg yn y Caws', ac mi benderfynais gynnwys y rheiny yn y llyfr. Caneuon i'w canu ydi'r rhain, ac o hynny y daeth y syniad i gynnwys y caneuon rydw i wedi'u sgwennu i'w canu gyda'r Enw Da hefyd. Ac yn olaf, daeth y syniad gwych o gynnwys *holl* ganeuon Geraint Løvgreen a'r Enw Da, nid dim ond y rhai yr oeddwn i'n gyfrifol am eu geiriau. Yn ogystal â rhoi rhyw gyfanrwydd i'r gyfrol, y syniad oedd gen i oedd y byddai'r caneuon olaf hyn yn codi'r safon gryn dipyn hefyd, yn enwedig gan fod dau brifardd ymhlith y cyfansoddwyr.

Mae 'ne bedair adran i'r llyfr felly, sef Caneuon Talwrn, Caneuon Radio, Caneuon yr Enw Da a Chaneuon gan Feirdd Eraill. Dydi'r diffiniadau ddim yn hollol haearnaidd: mae'r adran gyntaf yn cynnwys rhai pethau a wnes i at ymrysonau beirdd oedd heb fod ar y radio, yn ogystal ag ambell beth sgwennais i ar gyfer rhyw achlysur arbennig, ac ambell i 'Gân Radio' oedd heb diwn. Mae hynny'n wir am yr ail adran hefyd. Nid fi sy'n gwbl gyfrifol am bob un o'r cerddi chwaith: mae dwy neu dair ohonynt yn ffrwyth cywaith, fel sy'n digwydd yn aml ar gyfer ymryson. Er enghraifft, gydag Angharad Jones a Nici Beech y lluniais i'r englyn 'Nid yw Hwn yn Englyn Da' (iawn Nici?!) a chafodd rhai o ganeuon yr Enw Da, fel 'Y Tribiwnlys', 'Pedwar Mis (i Keith)' a 'Gwneud yr Arg', eu sgwennu ar fatiau cwrw gyda chyfraniadau gan rai o aelodau'r grŵp wrth inni eistedd mewn rhyw far neu'i gilydd yn aros ein tro i ganu. Mi rois i 'mhig i mewn i rai o'r 'Caneuon gan Feirdd Eraill' hefyd.

Dydw i ddim wedi cynnwys nodiadau ar y caneuon, er bod rhai ohonyn nhw'n sôn am bethau amserol sydd hwyrach wedi mynd yn angof erbyn hyn, ond yr unig beth fedra' i ei ddeud wrth unrhyw un sy'n methu gwneud synnwyr o unrhyw beth ydi eu bod nhw'n i gyd yn gwneud sens i mi. Eniwe, dwi'm yn dallt hanner stwff Euros Bowen chwaith. Den ni feirdd yn licio cadw'n darllenwyr yn y tywyllwch weithiau.

Hoffwn ddiolch i'm rhieni – hebddyn nhw . . . etc. etc., ac i Anti Grace – hwyrach mai hi ddaru fy ysbrydoli i gyntaf. Diolch hefyd i Eleri a'r plant am eu cefnogaeth, i Gerallt Lloyd Owen a Dic Jones am eu cymeradwyaeth pan oeddwn i'n gyw bach ar y Talwrn, i Trystan yn y BBC am amrywiol gomisiynau, i aelodau'r Enw Da am wneud i'r caneuon swnio mor dda, i bawb yng nghwmni recordiau Sain fu'n gyfrifol am eu recordio, ac i bawb sydd wedi deud pethe caredig am y rwtsh 'ma dwi wedi'i sgwennu dros y blynyddoedd. Diolch i Bedwyr o gwmni Almon am ei luniau, i Ifor am ei gyflwyniad ac i Myrddin, Esyllt a phawb yng Ngwasg Carreg Gwalch am eu gofal.

Geraint Lovgreen

Cyflwyniad

'Wel pwy ydw i heddiw?' medd Løvgreen
cyn gwisgo yn addas i'r part;
crys trendi bob tro er mwyn ni, Beirdd y Byd,
hefo C'narfon, rhyw hen ddillad mart.

Fel cyfieithydd mae'n byw ac yn bod rhwng dwy iaith,
fel talyrnwr mae'n byw ar y ffens,
yn gwas'naethu dau dîm hefo'i odlau amheus
fel 'creisiawn', 'neis-iawn' a 'non-sens'.

A heno, y dre bia'i galon,
yfory, y byd fel o'r blân
(ar y pnawn cyn y Talwrn does dim lot o ots,
fydd o dal heb roi start ar ei gân).

Y Daniad ag acen Drenewydd,
y Schmeichel o ganwr a bardd,
y dyn Sgandinafaidd ei odlau
hefo sauna a sgons yn ei ardd.

Yn y bôn 'dio'm yn gwybod pwy ydi o,
ond mae'r gwahoddiad yn aros o hyd –
mae 'na le i ddyn mor rhyngwladol â hwn
'nôl yn nhîm y rhai heirdd, Beirdd y Byd.

Ifor ap Glyn

CANEUON
Talwrn

Cân Hunangofiannol

Ge's i 'ngeni yn fabi yn Sbyty Trefalun yn Rossett

yn mil naw pump pump yn yr ha',
roedd Mam efo fi ar y pryd, diolch byth,

roedd hi newydd ddod fyny o Leamington Spa,
a diolch am hynny neu Sais faswn innau

fel Rhiain fy chwaer i ac Ifor ap Glyn;
dwi 'di treulio blynyddoedd yn poeni am hynny,

ond peidiwch â phoeni, dwi'n iawn erbyn hyn.

Roedd fy nhad i yn Sgowsar a Mam o Langollen

a ninnau yn byw'n rhywle rhwng y ddau le,
fy nhad i yn ddoctor a'm mam i yn nyrsio,

a'm chwaer efo'i bryd hi ar fynd yn D.J.
Dwi'n cofio fawr ddim am flynyddoedd fy mebyd

heblaw imi orfod cael drops yn 'y nghlust
a mynd i'r ysbyty i gael tynnu fy nhonsils,

a nhwthe'n rhoi'r X-rays ar ffrynt pêj Y Tyst.

Pan ddois i o'r sbyty, roedd pawb wedi symud i Wrecsam

heb hyd'noed ddeud gair wrtha' i;
mi ge's hyd iddyn nhw 'rôl dwy flynedd, a chware teg,

ddaru nhw ddeud 'O, mae'n ddrwg gennon ni,'
ac er bod hi'n brofiad annifyr i blentyn pump oed,

'nes i ddysgu gwers bwysig am Fyw,
sef 'Cadwch eich tonsils a'ch pendics os medrwch,

can's maent yn rhan bwysig o Gynllun Mawr Duw'.

Roedd gen i uchelgais pan oeddwn i'n fychan –
        pan dyfwn yn ddyn ro'n i am fod yn glown;
a dyna'r uchelgais a'm cadwodd i fynd pan oedd pethau yn ddu,
        neu o leia yn frown.
Roedd blynyddoedd llencyndod yn rhai, siŵr o fod,
        ddaru helpu i ffurfio fy nhynged a'm ffawd,
ond yn y fan yma dwi'n teimlo y dylwn i aros am sbel
        i ddeud gair am fy mrawd.

Ond 'sgen i ddim amser. Ymlaen efo hanes fy mywyd.
        Mi 'munais i 'fo'r S.A.S.,
ac wedyn mi deithiais y byd cyn sefydlu fy hun
        fel arweinydd ysbrydol Keith Best;
ac wrth edrych yn ôl dros dri deg o flynyddoedd – olreit,
        pedwar deg – mae 'na un peth yn glir –
wrth sgwennu cân hunangofiannol mae'n rhaid 'chi ddefnyddio
        llinellau ofnadwy o hir.

Cân y Beirdd

Den ni'n feirdd, gwrandwch arnan ni,
den ni'n heirdd – den ni ar y TV,
den ni'n bobol llawn o angerdd a nwyd,
ac ma' rhai ohonon ni'n nabod Iwan Llwyd,
ma' gennon ni grap ar y gynghanedd,
den ni byth yn cymryd bàth nac yn brwsio dannedd.

  Dech chi 'di clywed ein campweithiau ni ar y Talwrn,
  den ni jyst fel Dafydd ap Gwilym a'r criw 'na erstalwm,
  yn edrych ar y byd drwy waelod y gwydr
  ac yn siarad bob amser mewn odl a mydr,
  den ni ar delerau da efo'r Awen,
  so den ni'm yn gorfod poeni am gystrawen.

'Di ddim yn hawdd bod yn dipyn o fardd,
ond mae'n help os dech chi'n berson reit hardd
fel Dic Jones, Menna Elfyn, Steve Eaves neu Alan Llwyd,
neu Cynan neu Machraeth, Dylan Thomas hyd yn oed,
ond dwn i'm amdanoch chi, ond i mi mae'n embaras
gweld y beirdd yn posio'n noeth ar dudalen 3 Barddas.

  Mae 'ne feirdd sy'n mynd i ffwrdd,
    mae 'ne feirdd sy'n dod yn ôl,
  mae 'ne rai sy'n sgwennu cyfrolau,
    mae 'ne rai'n gneud bygar ôl,
  mae 'ne lot sy' wedi marw,
    mae 'ne rai sy' jyst 'di tewi,
  yr un peth sy'n gyffredin
    ydi'n bod ni gyd yn drewi,
  ond mae 'ne un bardd Cymreig
    mae pawb yn dyheu am ei gymbac:
  bardd sy'n alltud dros y môr –
    tyrd adre, John Toshack.

Englyn

Fe ŵyr Agnes drws nesa – a Gerallt,
   ac eraill o Nantlla,
a Chan sy'n dod o China,
nad yw hwn yn englyn da.

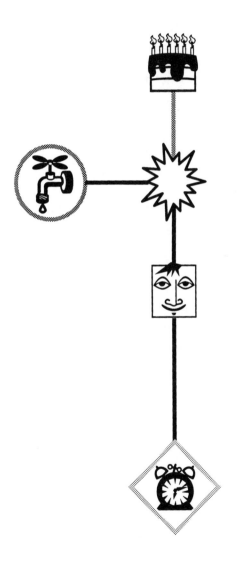

Y Diwrnod Cyntaf

Y diwrnod cyntaf hwnnw,
os nag dwi'n gwneud mistêc,
mi greodd Duw oleuni
ac wedyn cym'rodd frêc.

Ni chreodd ddim byd arall
ar y diwrnod cynta rioed;
dim chwyn nac anifeiliaid,
na dŵr na sêr na choed.

Ocê, fe wnaeth oleuni,
ond pwy oedd yma i'w weld?
Neb; ac felly dyma Duw'n
ei roi mewn jar ar seld.

Ac eistedd 'nôl wnaeth wedyn
i edmygu'i champwaith gwiw;
roedd creu goleuni'n eitha camp,
roedd wedi blino – ffiw.

Fe wyddai y byddai fory
yn ailafael yn y creu,
ond am heno fe gâi orffwys,
felly aeth 'nôl at ei gweu.

Pennill Mawl i Ffilm

Dwi ddim yn honni 'mod i yn bwff ffilmiau
(os dyna'r gair Cymraeg iawn am *film buff*)
ac os dywedwch fod fy marn fach innau
yn bradychu f'anwybodaeth; fair enough.
Ond wir, mi ydw i'n credu y dylid sefydlu clwb
i werthfawrogi 'Madam Wen', a golygfa'r llong-mewn-twb.

Stori Drist

Roedd Wil Foty Ganol yn gwybod
pob peth oedd i'w wybod am lygod.
   Roedd o hefyd yn giamstar
   ar deulu yr hamstar
ond wyddai o ddim byd am genod.

Limrig yn ymwneud ag anifail gwyllt

Dwi'n methu deud 's'; mae hi'n warth;
deud y gwir mae hi'n 'mylu ar ffarth
   ond mae'r Thaith yn rhif thaith
   wedi deud lawer gwaith
'mod i angen 'good kick up the arth'.

Cynulleidfa Stiwdio Deledu

Yn rhifyn Ionawr chwe deg tri o'r cylchgrawn crand *Show Biz*
roedd cais am gynulleidfa ar gyfer rhaglen gwis:
'Disgwylir i'r ymgeiswyr fod dros eu deugain oed,
â dwy law ac yn dallt Cymraeg. Ymgeisiwch yn ddi-oed.'

Ysgubol fu'r ymateb i'r hysbyseb fechan hon:
roedd pob gwraig tŷ yng Nghymru isio mynd ar teli, bron.
O'r llu ymgeiswyr roedd pob un, drwy gyd-ddigwyddiad mawr,
yn aelod triw o'r W.I. neu ynteu'n Ferch y Wawr.

Pendronwyd a phendronwyd mwy cyn llunio rhestr fer,
roedd dewis cynulleidfa dda yn sialens ac yn her
ond o'r diwedd pigwyd trigain o rai hwyliog ar y naw,
a rhai da am glapio (dyna pam roedd angen cael dwy law).

Roedd ymddangosiad cynta'r gynulleidfa'n llwyddiant mawr,
ac yn hwb i'r rhaglen gwis (nad wyf yn cofio'i henw nawr):
a'u cadw ar staff y Bîb a wnaed 'rôl gweld beth oedd eu gwerth,
a chynulleidfa chwe deg tri aeth 'mlaen o nerth i nerth

i 'Raglen Hywel Gwynfryn', 'Cistiau Cudd' a 'Siôn a Siân',
'Ras Sgwâr', 'Pwy Fase'n Meddwl', 'Taro Tant',
                                        'Mae gen i Gân',
'Dechrau Canu, Dechrau Canmol', 'Margaret Williams',
                                        'Bwrlwm Bro',
'Twyllo'r Teulu', 'Taro Bargen', 'Elinor', a rhagor 'to,
sef 'Rosalind a Myrddin', 'Gair am Air', 'Llun ar y Sgrîn',
'Gair i Gall' a 'Pwy sy'n Perthyn' a hyd yn oed 'Sport Scene'
Pob rhaglen o bafiliwn yr Eisteddfod bob mis Awst,
a rhyw raglen ddogfen boring welwyd un nos Sul am Faust.

A heddiw wele'r gynulleidfa'n dal i wneud eu gwaith,
a'r iengaf un ohonynt erbyn hyn yn saith deg saith:
Mae'r trigain lawr i hanner cant ac ambell sedd yn wag –
bu farw tair o ddiffyg traul 'rôl darllen 'Arch ym Mhrâg'.

Ond os yw rhai o'r merched wedi mynd o'r fuchedd hon,
na phoenwch! Can's ffurfiasant gynulleidfa newydd sbon.
Ac erbyn hyn mae'r nefoedd, a fu gynt yn fôr o gân,
yn llawn sŵn curo dwylo pan ddarlledir 'Siôn a Siân'.

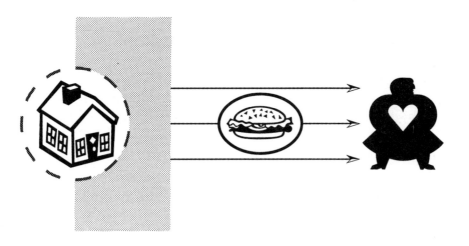

Mong

Roedd dyn bach yn byw yn Hong Kong
oedd yn hoff iawn o chwarae ping-pong.
    Doedd ganddo fo'm bat
    na phêl, come to that,
deud y gwir, oedd o'n chware fo'n rong.

Magu Plant

'Mae magu plant yn brofiad gwerth ei gael,' medd Capten
                                                    Kirk,
a ffwrdd â fi i droedio'n ddewr lle na throediodd dyn o'r blaen
'run fath â'r Starship Enterprise, ond dwi'n teimlo fel
                                            James Burke,
doedd neb 'di deutha' i bod magu plant yn ffasiwn straen.

'Ond aros funud,' meddech chi, 'nid Kirk oedd o, ond Sbock.'
Ond be ddiawl oedd o'n ei wybod, yr hen Fylcan clustiau pigog?
Ac eniwê, sut fase fo'n dygymod efo'r sioc
o fod yn deulu un rhiant mewn tŷ cyngor yn Rhosllanerchrugog?

A fynte wedi teithio'n hy drwy SPACE – THE FINAL FRONTIER
roedd o wedi arfer delio 'fo bob math o ryfedd aliens –
ond ddim 'Cwm-rhyd-y-rhosyn' na Chlwb Mam-a'i-Phlentyn
                                                    Poncie
na holl erchyllterau'r Mister Men 'di'u trosi gan Sowth Welians.

Ac eto, roedd y Sboc 'ma'n ddigon powld i sgwennu cyfrol
ar sut i fagu plant tra oedd o'n hedfan drwy y gwagle
a finne yma'n styc yn tŷ ac yn ysu am fynd am bybcrol,
a 'mreichie'n llawn o sgrechian pinc mewn babygro llawn cagle.

Be wyddan nhw am fagu plant, 'rhen Sboc a'i griw breintiedig?
me' fi wrth stryglo i gael y bych i eistedd ar y poti,
'sa'n well gen innau ymladd monstyrs gwaeth na Huw Ceredig
'chos o leia'n fanno fedrwn i jyst ddeud 'Beam me up, Scotty'.

Yr Archfarchnad

Archfarchnad godwyd fis yn ôl rownd gongol o'n tŷ ni,
Hoff siop y Prifardd Iwan Llwyd, ond wna' i mo'i henwi hi.
I be y cerdda' i drwy y gwynt a'r glaw o siop i siop
Dim ond i mofyn bara brith a chig a photel bop?
Mae hon yn gwerthu'r lot, o gaws i stwff lladd gwenyn meirch,
Yr un peth sydd ddim yno hyd y gwela' i 'di eirch.
Heblaw am hynny, mae bob dim i'w gael yn hwylus iawn,
Mi wn i hynny, achos mi fûm yno un prynhawn.
Mi brynais sèt o fygiau del a thebot oedd yn matsio,
Fish fingers a chaws gafr o Roeg, porc tjops a chnau pistachio,
Gwin o Dde Affrica, baguette, stwff glas i llnau y lŵ,
Brwsh dannedd, bylbiau, papur wal, pinafal a mange tout.
Geraniums pinc a sosej rôls a hufen iâ a rhaw,
A finne 'mond 'di picio 'mewn i 'mochel rhag y glaw.
Pwy 'sa'n meddwl y base cawod wedi costio swm mor fawr?
Dwi 'mond yn falch na wnaeth hi'm para mwy na hanner awr.
Ond chware teg, mi ge's i groeso cynnes wrth y til
Gan staff clên yr archfarchnad, wrth imi dalu'r bil.
Ond heddiw dyma fi mewn bwthyn unig wrth Loch Ness –
Doedd gen i'm gobaith mul o dalu'r Merican Express.

Diwrnod i'w Gofio

Roedd dydd Sadwrn yn ddiwrnod i'w gofio'n tŷ ni.
Mi ddechreuodd pan aeth Mari fach i bi-pi,
a hynny 'rôl brecwast, tua chwarter i naw,
dim ond bore cyffredin oedd hwn, gyda llaw.
Ro'n i a f'anwylyd 'n cael paned o de,
a'r plant yn cael Shredis a dau Milci Wê,
yn deulu bach dedwydd o gwmpas y bwrdd:
wydden ni'm am ddigwyddiad filltiroedd i ffwrdd
yng nghanol 'r Iwerydd, lle'r oedd clamp o deiffŵn
wedi rhwygo y cefnfor, gan wneud lot o sŵn,
a sugno y moroedd i'r awyr yn fflyd
a hynny'n effeithio ar holl garthffosydd y byd.
Ond wydden ni ddim byd am hynny, yndê,
ro'n i wrthi'n gwneud croesair yn Wêls on Syn-dê
pan yn sydyn fel chwip, clywsom sgrech o'r tŷ bach:
'Mae Mari mewn trwbwl, mewn helynt, mewn strach!'
Mi gurais yn wallgo ar ddrws y lle chwech
ond chlywn i'm ond sŵn fathag andros o rech.
Mi ruthrais i mewn – roedd y toilet yn wag;
roedd Mari 'di mynd, ond i ble – Penarlâg??!?
Pwyso wnes ar y seston a 'nghoesau yn wan,
roedd yn amlwg ei bod hi 'di'i sugno lawr pan
(mi oedd 'na ryw drafferth 'di bod efo'r tjaen
ond doedd dim byd fel hyn wedi digwydd o'r blaen.)
Y peth pwysig rŵan oedd cael Mari yn ôl,
a heb feddwl mi neidiais i mewn ar ei hôl
a gwthio fy ffordd rownd yr S-bend yn slic
heb boeni dim byd am yr oglau Har-pic,
a lawr trwy'r carthffosydd y nofiais yn chwim
a chyrraedd y cefnfor heb snorcel na dim,
ac yno, wrth outfall yng nghanol yr heli
roedd Mari, yn adrodd barddoniaeth gan Shelley,

neu Keats, dwi'm yn siŵr, 'sgen i'm syniad deud gwir:
'dio'm yn bwysig beth bynnag. Smotyn bach oedd y tir;
ond 'rôl nofio am oriau a 'mrest i yn gaeth
mi gariais i Mari'n ddiogel i'r traeth.
Ac yno'n ein haros, y teulu i gyd
oedd yn gwneud cestyll tywod yn ddigon di-hid,
a chofiais i chwap wrth weld Nain ar gefn mul
mai heddiw oedd diwrnod y trip ysgol Sul.
Aeth gweddill y diwrnod yn angof erstalwm
ond cofiaf hyd heddiw bob tro yr a' i i'r bathrwm
i glymu fy hun yn ddiogel wrth dap
a gwisgo leiff-jacet, a snorcel, a chap.

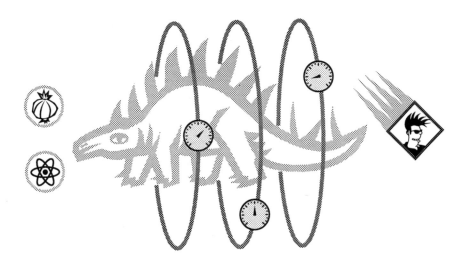

Gwyn y Gwêl y Frân ei Chyw

Meddai brân oedd yn byw'n San Marino,
'Dim ond un cwestiwn bach sy'n fy mlino:
   Os ydw i'n ddu, a'r tad,
    hoffwn gael eglurhad
sut ddiawl y mae'r mab 'cw'n albino?'

Y Sêr (1)

Mae Hywel Gwynfryn yn un,
a Tony Blair, a Prince,
a Jonathan, a Princess Di,
Chris Evans a Paul Ince.

Mae Cilla Black yn seren,
a'r Pab, ac Alwyn Siôn,
a Paul McCartney hefyd,
a Machraeth (yn Sir Fôn).

Mae Jonsi ar y radio,
a 'Cracker' ar y bocs,
a Paula Yates ac Elton John
a'r hen Samantha Fox.

Bruce Forsyth, Des O'Connor,
Ian Botham ar ei daith,
J.O. a brawd John Major,
ond ddim John Major, chwaith.

Disgleirio wna'r ffurfafen
yng ngolau'r sêr i gyd.
O na chawn i fod fyny fan'na
efo nhw o hyd.

Y Sêr (2)

Y mae yn beth rhyfedd, mae hynny yn wir;
wrth astudio y sêr daw'r dyfodol yn glir.

Cancer – y cranc – fe ewch ymlaen yn y byd,
os stopiwch chi fynd wysg eich ochr o hyd.
Libra – y glorian – gwyliwch eich pen,
rhag i glorian drom ddisgyn o ffenest uwchben.

Leo – y llew – gallwch ddisgwyl cael trît.
Ond peidiwch â mentro ar gyfyl Longleat.
Virgo – y forwyn, yn bur fel yr eira –
gen i ofn nad chi enillith 'Bacha'i o'ma'.

Y Sgorpion – bydd dydd Mawrth yn ddydd i'w anghofio.
Cewch eich sathru dan droed wrth fynd 'mewn i'r pwll nofio.
Aquarius – cariwr dŵr – os am osgoi creisus,
cadwch y ddysgl yn wastad neu mi wlychwch eich trowsus.

Pisces – y pysgod – gochelwch ddydd Gwener.
Cewch eich bwyta mewn caffi efo chips a fin-eger.
Gemini'r efeilliaid – cewch ddau o bob dim.
Gemini'r efeilliaid – cewch ddau o bob dim.

Capricorn – yr afr – eich hoff liw yw glas.
Ie, finlas finlas finlas, foel cynffonlas foel cynffonlas . . .
Taurus – y tarw – wythnos ddigon di-fai.
Osgowch Harri Vaughan, a dynion A.I.

Aries – maharen – dach chi'n chwilio am gymar.
Jyst cadwch yn glir odd'wrth ddefaid Wil Plymar.
Sagittarius – y saethwr – chi yw seren 'Siotolau'.
Rhowch ganmoliaeth i'r beirdd, maen nhw'n trio eu gorau.

Cylchgronau Merched

Mae gen i hunlle – dwi'n mynd i Smiths
'mond isio prynu cylchgrawn am Urban Myths.
Ond pan dwi'n cyrraedd yno mae 'na gythraul o le,
mae'r siop yn llawn dop o stwff fel Elle ac OK,
ac ar ôl brwydro drwy lond silffoedd o Woman a Hello
heb weld un cylchgrawn i ddynion, dwi'n rhoi'r ffidil yn y to.

Os dach chi'n ffan o'r soaps, isio darllen am y sêr,
wel trïwch Woman's Own, mae o'n well na Marie Claire,
ac os dach chi isio'r secs position gorau un
edrychwch ar Cosmo, neu Just Seventeen.
'Chos tra ma'n hogie'n dal i ddarllen cylchgronau pêl-droed
mae genod ifanc heddiw yn advanced am eu hoed.

O gylchgronau colli pwysau mae'r silffoedd yn llawn,
maen nhw'n pwyso mwy na'r merched sy'n eu darllen nhw,
                                                    bron iawn,
ac ymhlith y mamau ifanc, dwi ddim 'di gweld neb
efo amser i bori drwy Mother and Baby.

So pwy'n union sydd yn darllen y cylchgronau 'ma i gyd?
Does 'na'm gymaint â hynny o ferched yn y byd.
Ma' raid bod 'na ddynion yn eu prynu nhw'n slei
er mwyn cael ffics wythnosol o batrymau gweu,
a rŵan rhaid 'mi fynd, esgusodwch fi,
mae 'na Woman's Weekly newydd sbon yn fy nisgwyl yn y tŷ.

Coginio Teledu

Dwi'n rhoid y tiwb i ferwi mewn sosban fawr o ddŵr
efo dipyn bach o bupur a halen mae'n siŵr,
dwi'n estyn am y falfiau a'u malu nhw yn fân
cyn eu ffrio nhw mewn menyn dros ychydig bach o dân;
mae'r sgrîn wedi'i thorri yn ddarnau reit fach
a'u cymysgu efo sgriwiau a nionod bach,
a rhoi'r cyfan yn y popty ar wres isel iawn
a'i adael i goginio am weddill y pnawn.

Mae'r rimôt-contrôl 'di socian dros nos mewn oil
a rŵan dwi'n ei rostio wedi'i lapio mewn ffoil
ac mae'r weiars i gyd fel sbageti yn y pot
a dwi'n taenu ffeilings haearn ar ben y blwmin lot;
mae'r sbicars dan y gril yn brownio'n reit dda
dan orchudd o fenyn a briwsion bar-a.

A rŵan mae'r hen deledu yn barod imi'i fyta,
mae pawb yn awchus wrth y bwrdd wrth imi'i roi o ar y platia,
ond ych a fi, 'dio ddim yn flasus o gwbwl, che's i'm lwc.
Felly dyna 'nghynnig ola' i ar fod yn TV cwc.

Ar y Trên

Dwi'n eistedd ar y trên 'ma
sy'n rhuthro hyd y trac,
ei sŵn yn llenwi 'nghlustia
clac clac clac clac-di clac.

Mae'n mynd, mae'n siŵr, i rywle,
ond Duw a ŵyr i ble:
ni welais yr amserlen
yng ngorsaf y relwê.

Ai trên y grefi ydio,
yn llawn o'r cigog sudd
a dolltwn dros ein cinio?
Na, mae'n bell iawn o Gaerdydd.

Neu beth am drên y Chwyldro,
via Tal-y-bont a Phrâg?
Wel os mai hwnnw ydio
rhaid 'mi ddeud, mae'n hynod wag.

Deud gwir, 'mond fi sydd arno,
a dydio'n fawr o thrill.
Wna' i'm trafferth reidio eto
ar drên sgrech ffair y Rhyl.

Golchi Llestri

Mi dorrodd 'mheiriant golchi llestri 'nghanol y mis du
ac erbyn hyn defnyddiais bob un llestr yn y tŷ.
Mae troedio drwy ein cegin ni'n job eitha delicêt
wrth fynd ar flaenau'ch traed rhwng dau Dŵr Eiffel tsieina plêt.
Roedd gen i bnawn yn rhydd ddydd Sul ac roedd hi'n bwrw glaw
so mi benderfynias drio golchi'r llestri efo llaw,
ond bach oedd sinc y gegin, a'r peil llestri'n fawr a thrwm
felly cariais nhw mewn bag bin du i fyny i'r bathrwm.
Doedd gen i'm Fairy Liquid felly rhaid oedd gwneud y tro
ar eu sgrwbio efo lwffa a joch dda o Wash 'n' Go;
'Nôl y broliant ar y botel caent eu golchi a'u cyflyru
a wir, mi ro'n nhw'n sgleinio'n lân heb ôl o'r staeniau cyri.
Eu sychu oedd y broblem nawr – un anodd ar y naw;
dim iws eu hongian ar y lein a hithau'n bwrw glaw.
Mi lwythais nhw i gefn y car ac i'r londrét â ni,
a'u rhoi nhw yn y sychwr crimp am chwarter wedi tri,
ond och, am bedwar pan agorais roedd fy llestri glân
ar waelod drwm y peiriant yn filiynau darnau mân.
A'r wers sy' gen i i bawb ar ôl 'mi orffen clirio'r mess 'di
cadwch draw odd'wrth londréts os ydech chi isio cadw'ch llestri.

Alas, Young a Jones

O, na, nid yw Eric a Vinny
yn edrych yn dda mewn bicini;
    mae Vinny'n rhy dew
    ac mae gan Eric flew
ar ei goese, a phen ôl bach sgini.

Y Picnic

Aeth Ceredig y Crwban a'i gyfaill mawr, Cled,
        i'r goedwig am bicnic un tro,
a chychwyn a wnaethant ill dau mewn da bryd,
        am eu bod nhw mor hynod o slo.
'Rôl cerdded dow-dow am rai dyddiau drwy'r coed,
        mi ddaethant at lannerch fach glyd,
ac yno, ar liain bach del coch a gwyn,
        paratôdd y ddau grwban eu pryd:
brechdanau, cacennau a chreision a chnau;
        ond meddai Ceredig 'Hei, stop!
Y fi oedd i ofalu am fwyd inni'n dau, a ti, Cled,
        oedd fod dod â'r pop.
Bydd raid iti fynd bob cam adre i'w nôl.'
        Ond meddai Cled, 'Na wnaf i wir,
achos tra bydda i o'ma mi fyti di'r bwyd; dwi'n dy nabod di'n
        iawn ers rhy hir.'
'Dwi'n addo,' medd Ceredig y Crwban wrth Cled,
        'wna' i ddim cyffwrdd briwsionyn o'r wledd
nes byddi di'n ôl efo'r pop inni'n dau.'
        Fe gododd 'rhen Gledwyn o'i sedd:
'Wyt ti'n addo?' 'Duw, yndw.' 'Dim briwsionyn?' 'Wir yr.'
        'Ocê 'te,' a dyma fo'n mynd
gan adael Ceredig i wylio'r holl fwyd
        a disgwyl dychweliad ei ffrind.
Yr oriau aeth heibio, a'r dyddiau yn wir,
        ond doedd 'na ddim sein o'r hen Gled
(Gobeithio ei fod o yn cofio lle cadwyd y pop,
        mewn hen ffrij yn y sied).
'Rôl dau fis o ddisgwyl roedd C'redig yn llwgu,
        a'i fol bron â hollti yn ddwy.
'Dwi'n siŵr 'sa hi'n iawn imi gael rhywbeth bach,'
        ond wrth estyn am un frechdan wy . . .

'A-HA!' gwaeddodd Cled o'r tu ôl i hen dderwen,
          ''di dy ddal di, ti wedi cael cop!
Roedd f'amheuon yn iawn – rŵan dwi'm yn mynd o'ma;
          gei di fynd yn ôl am y pop!'

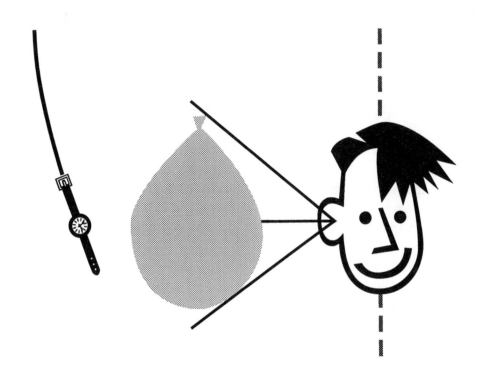

D.I.

Dwi'n ei gofio fo'n gofyn yn syn
'Paham y mae eira yn wyn?'
   i gyfeiliant tri chord
   wrth sefyll ar ford.
Edrychwch lle mae o erbyn hyn.

Talwrn Fatigue

Dwi 'di gwneud darganfyddiad, a hwnnw'n un pig:
'nôl y doctor, dwi'n diodde o Talwrn fatigue.
Mae'n syndrom sy'n effeithio ar ambell i fardd,
ond dim ond rhai dawnus, a pheniog, a hardd.

Mae'r Talwrn fatigue yn fy llethu yn llwyr,
ac yn gwneud imi orffen fy nhasgau yn hwyr.
Weithiau mae o'n effeithio ar fydr fy nghaneuon,
ac weithiau mae'n amharu ar hyd y llinellau, ac ar yr odl
hyd yn oed.

Mae'r Talwrn fatigue yma'n gythraul o beth,
mae'n gwneud imi iwsio hen eiriau fel 'heth'
a minnau heb glem be 'di ystyr y gair.
(Mae hynny 'di digwydd rhyw ddwywaith neu dair.)

Mae bywyd yn boen – yn lle blodau, daw chwyn.
'Di o, Alan Llwyd, ddim yn diodde fel hyn.
Fy mreuddwyd 'di cael bod yn fardd Premier League,
Mae'r rheiny uwchlaw rhyw hen Talwrn fatigue.

Gweld Ysbryd

*(10.30 y nos yn y Little Chef yn Llanelwedd ar y ffordd o
Gaerdydd ar ôl gweld Cymru'n cael gêm gyfartal efo'r Alban
– gêm yr oedd yn rhaid i Gymru ei hennill er mwyn mynd
drwodd i rowndiau terfynol Cwpan y Byd ym Mecsico 1986)*

Nos Fercher yn Hydref '85 yn nhŷ bach y Little Chef,
– roedd Cymru wedi methu ac ro'n isio saethu'r reff –
mae John ac Ems yn dal i daeru 'mod i'n wirion bost,
ond dyna pryd, yn wir i chi, y gwelais i y ghost.

Roedd o'n sefyll wrth y peiriant sychu dwylo yn y gwyll,
yn gwisgo trowsus tartan, a gwasgod beige reit hyll:
dychrynais i, a syllu wnes yn syn i'w wyneb blin,
'chos ro'n i wedi'i nabod o – o 'mlaen i roedd Jock Stein.

Mi flinciais ddwywaith, deirgwaith, ond yno roedd o, Jock,
yn sefyll reit o 'mlaen yn y toilet – sôn am sioc!
a minnau awr yn ôl 'di'i weld o'n gelain ar y cae –
agorais i fy ngheg yn fawr: dywedodd Jock 'Su'ma'i?'

Mi drois i at y drws mewn braw, ond meddai Jock, 'Fy ffrind,
arhosa, gwranda arnaf i, cyn hir bydd raid 'mi fynd,
ond cyn i mi ymadael i ymuno â'r nefol gôr
mae gen i gyffes fach i'w gwneud – nid un un oedd y sgôr.

Ie, Cymru a enillodd, doedd hi ddim yn benaltî.
Er mwyn mynd 'mlaen i'r ffeinals rhois ddeg punt i'r reffarî'.
Dechreuais deimlo 'mhen yn troi, a 'nghoese'n mynd yn wan,
a dyne lle yr o'n i'n eiste'n syfrdan ar y pan.

Ac yn fy ngwendid, be wnawn i ond maddau iddo'n syn?
A diflannodd 'rhen Jock Stein o flaen fy ngwep
                              mewn cwmwl gwyn.

Anghenfil

Gwyddonydd gwallgo, Frank N. Stein
ydw i at eich gwasanaeth,
a dyma hanes arbrawf wnes
i greu y creadur perffaith.

Mi gesglais i sawl sbesimen
diddorol o'r corff dynol,
pan ddeuai Mormon at y drws
fe'i bwriwn gyda throsol.

Dyn gwerthu timeshares yn Sir Fôn,
ymchwilydd gyda'i phlygell,
dyn llefrith, postmon a dyn glo –
roedd lle i bawb 'n y rhewgell.

'Rôl cymryd darnau o bob corff
a'u gwnïo 'nghyd yn ddestlus
fe'i deffrais gyda deng mil folt,
ond Och! am drychinebus.

Anghofiais roi teimladau 'mewn,
Rown wedi creu anghenfil.
Bedyddiais o yn Siôn Coed Coch
a sgwennu cân anghynnil.

Camgymeriad

*(Mewn ymryson gyda thîm 'Beirdd-a-Gogo'
ym Mro Cernyw)*

Rhyw gamgymeriad ydwi – doedd neb yn 'y nisgwyl i
Roedd fy chwaer yn un ar hugain oed, a 'mrawd yn fforti-thri.
Roedd Mam a 'nhad yn tynnu'u pensiwn pan ddois i i'r byd
A dwi'n cofio'u bod nhw'n hŷn na'r rhieni eraill yn y stryd.

Mi ge's wisgo hand-mi-downs 'y mrawd,
                                    ond does 'na ddim byd gwaeth
Na throwsus nofio wedi'i weu pan fyddwch ar y traeth,
Maen nhw'n casglu llwyth o dywod wrth ymdrochi yn y môr
A dach chi'n dod o'r dŵr ryw hanner stôn yn drymach na biffôr.

Ta waeth, yn ôl at bwnc y gân. Camgymeriad ydw i
A chamgymeriad ydi 'mod i yma efo chi.
Roedd y prifardd enwog o Lanrwst yn casglu tîm o feirdd ac
Mi ofynnodd o i'n prifardd diweddaraf, sef y Mei Mac.

Cytuno'n llon wnaeth Meirion, gan addo sgwennu cân,
A chychwyn am Fro Cernyw wnaeth o yn yr oriau mân,
Ond doedd o byth 'di cyrraedd erbyn pum munud i saith
Ac felly ffôniwyd SUPERBARDD – a deuthum ar un waith
I achub Beirdd-a-Gogo efo SUPERCÂN reit cŵl.
A lle mae Meirion Macintyre? Yn Perranporth, y ffŵl.

Pwyllgora

O bwyllgor i bwyllgor yn ddyfal mi af,
pwyllgora'n y gaeaf, pwyllgora'n yr haf,
pwyllgora'n y bore, pwyllgora'n y pnawn,
mi roddwn y gora i bwyllgora pe cawn.

Mae 'mywyd yn bwyllgor, fedra' i'm osgoi hyn,
a Madam Cadeirydd 'di'r wraig erbyn hyn,
dwi'n siarad 'fo pob dyledus barch efo'r plant
a dwi'n gorfod cael eilydd cyn newid 'y mhants.

Dwi ar bwyllgor y Steddfod a phwyllgor y côr
a phwyllgor i achub draenogiaid y môr,
pwyllgor Gŵyl Ffilmiau a phwyllgor tai bach
a phwyllgor i'r rhai sy'n gweld pwyllgor yn strach.

A hwnnw 'di'r pwyllgor sydd orau i gyd:
'sdim angen agenda na chofnodi dim byd,
does 'na'm rhyw hen gecru na thynnu yn groes:
wel, does neb yn troi 'fyny – isio 'mynedd, yndoes?

Gwasgedd

Aeth Gazza i 'bach o drybini
pan safodd rhy agos at Vini.
   Aeth hogyn Nain Bala
   yn syth am ei gala
'E's a bit of a nutter, Vin, innee?'

Y Pwyllgor

Cynhaliwyd pwyllgor neithiwr o'n cangen ni o'r Blaid;
Un pwnc oedd ar y rhaglen, a'i drafod o roedd rhaid,
    sef i ba beth mae'r byd yn dod,
    a Dafydd Êl 'di mynd yn Lord.

Mi gododd un sosialydd, dechreuodd weiddi'n groch,
'Mi ydwi'n cofio Dafydd yn gwerthu Cymru Goch
    ond rŵan, pasia'r sick bag, Maud,
    mae Dafydd Êl 'di mynd yn Lord.'

'Dim ond un Arglwydd sy' 'na,' o'r cefn y daeth y llef,
'A'r Arglwydd Mawr 'di hwnnw, ac nid yr Arglwydd Dêf –
    'Di Dafydd Êl yn ddim ond fraud
    a wna' *i* ddim ei alw'n Lord.'

Aeth Dafydd Elis Thomas yn un ohonyn Nhw
gan herio'r nashis penboeth a fynnai weiddi 'bŵ',
    ond roedd o'n sgint ac roedd o'n bôrd
    a chyn pen dim mi roedd o'n Lord.

Fe gododd y Cadeirydd: 'Mae'n bryd dwyn hyn i ben.
Rwy'n siŵr ein bod ni'n unfryd am ei guro ar ei gefn,
    Mae'n llinach Cledwyn a Goronwy –
    Lord Elis Thomas of Nant Conwy.'

Doili

Y mwyaf aneffeithiol
o holl ddyfeisiau dyn
ydi'r tipyn sgrapyn papur 'na –
mae o ar ei ben ei hun.
Mae cacen yn beth buddiol
a blasus iawn heb os,
dwi'n hoff o gacen siocled
a sgons a byns hot-cross.
Be rown i am gacen hufen
(y rhai sy'n nôti ond neis)
dwi'n hoff iawn iawn ohonynt,
beth bynnag yw eu seis,
a chacen ffrwythe hefyd
efo eising dros y top,
neu gacen sbynj 'fo lemon,
mi fyta' i nhw heb stop.
A rhaid imi gyfadde
bod i'r hen blât ei le
yn nhrefn fawr rhagluniaeth
i ddal cacen yn ei lle.
Achos pa iws ydi cacen
heb blât i'w dal hi, y?
Ond am yr hen gylch papur
efo tyllau ynddo, hy!
'Dio ddim yn dal y briwsion
nac yn cadw'r plât yn lân,
'dio'n da i affliw o ddim byd,
'dio ddim yn haeddu cân.
So pam dwi'n canu iddo,
y doili da i ddim?
Wn i'm, ond wna' i ddim eto,
Pasia damaid arall, Jim.

Hwyliau Drwg

Wrth wylio y 'Penwythnos Mawr' nos Sul ar Bedwar Ec
Mi ge's i 'nhemtio i ffônio i mewn am wyliau yn Quebec.
Roedd mis yn heulwen Canada'n apelio ata' i lot
Ond nid y gwyliau 'nillais i, ond honglad o hen iot.

A daeth y postmon at y drws dan wenu fore Llun
Yn tynnu iot tu ôl i'w fan, a dyn yn tynnu llun.
Wel, dydw i'n fawr o longwr, ond es i Fictoria Doc
A hwylio am y cefnfor mawr gan feddwl troi'n ôl toc.

Ond chwythodd gwynt y de fi heibio i'r Eil o' Man ar wib
A finnau ar fy mhedwar yn straffaglio efo'r jib.
Mi dynnais ar y rhaffau ac mi hongiais ar y mast
Ond hwyliai'r cwch ymlaen tuag at y gorwel yn reit ffast.

Er gwaetha fy ymdrechion roedd yr hwyliau'n cau bihafio
Ac ro'n i'n dechrau meddwl y byddai'n rhaid i rywun fy safio.
Neu diwedd gwlyb wynebwn yn y dyfnder yn ship-rec
I gyd o achos galwad ffôn i ddec Es Pedwar Ec.

Ond a minnau'n dechrau anobeithio cyrraedd 'nôl i'r docs
Mi ddeffrais – ro'n i wedi bod yn cysgu o flaen y bocs.
A doedd 'na'm iot, na bîm, na jib, na mast, na hwyliau drwg,
Dim byd ond lludw yn y grât a stafell lawn o fwg.

Ffasiwn

Mae gofyn i mi ganu am ffasiwn
'run fath â gofyn i'r Pab Ioan Paul
ganu am 'Gondoms rwyf wedi'u hadnabod'
– dwi ddim yn ei nabod at ôl.

Mae gofyn i mi ganu am ffasiwn
'run fath â gofyn i Saddam Hussein
ganu am Gariad Brawdol at Gyd-ddyn.
Fedra' i ddim sgwennu 'run lein.

Mae fel gofyn am gynllun ariannol
gan rywun fel Norman Lamont,
neu ofyn am lyfrau reit barchus
gan wasg enwog yn Nhal-y-bont.

Mae gofyn i mi ganu am ffasiwn
'run fath â gofyn i Gwyn WDA
sgwennu llyfr am gystrawen a threiglo.
Wn i'm sut i startio, na lle.

Mae gofyn i mi ganu am ffasiwn
'run fath â gofyn i dîm ffwtbol Man Iw
sut mae'n teimlo i ennill yn Ewrop
Deud y gwir 'thoch chi, sgenna'i ddim cliw.

Mae gofyn i mi ganu am ffasiwn
a finne ddim o gwbwl yn siŵr
'run fath â gofyn i Heddlu'r Gogledd
sgwennu traethawd ar Feibion Glyndŵr.

Mae'n rhaid bod gosodwr y dasg 'ma
yn ddyn hynod trendi a chŵl,
felly be mae o'n neud yma heno
mewn tanc-top a flares a cagoule?

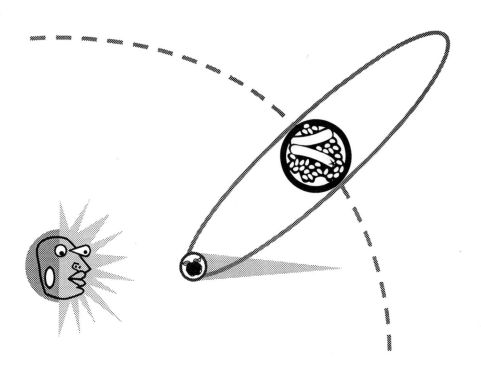

Blaenau Y

Mi glywais am foi o'r Waunfawr
yn ymuno 'fo Merched y Wawr.
   Roedd o mewn disgéis
   ond cafwyd syrpreis
pan syrthiodd ei wei-ffrynts i lawr.

Blaenoriaethau

Yn hanes y bydysawd, fe sgwennwyd llawer cân
i foli hwn a moli'r llall a moli'r adar mân,
i foli eliffantod, llewod, cŵn, glöynnod byw,
i foli holl rinweddau dyn, a lot i foli Duw;
yn wir, fe folwyd popeth yn y byd ar fydr ac odl,
pob gwrthrych a phob creadur byw o'r morfil i Glenn Hoddle,
pob haniaeth a phob '-aeth' dan haul mewn haiku neu roc 'n' rôl,
ond sylwi wnaeth ein Meuryn craff fod un dyn bach ar ôl:
sef ydoedd: blaenoriaethau. Ni chawson nhw erioed
'run gair o sylw gan 'run bardd – ddim Machraeth hyd yn oed:
a hynny er pwysiced ydynt i'n bywydau ni,
'chos heb ein blaenoriaethau, ym mha le fydden ni?
'Swn i'n deffro yn y bore ac yn mynd i banics mawr:
o bob un peth sydd gen i i'w wneud, pa un a wnaf i nawr?
'molchi, bwyta swper, torri 'ngwinedd, mynd am dro,
cyfansoddi cân i'r Talwrn, ffônio bildar ynglŷn â'r to,
codi o'r gwely, gwneud y croesair, mynd am gêm o ffaif-a-said,
gwisgo'n sgidie, sgwennu llythyr at 'y mrawd yn Llansanffraid,
mynd i'r pictiwrs, mynd i'r swyddfa, mynd am beint neu
                                        fynd am jog,
crafu 'nhrwyn neu ddarllen papur, bwyta 'mrecwast,
                                        mynd i'r bog,
diffodd golau, cloi y drysau, agor cyrtens, gwisgo 'nhrôns,
gwylio'r teli, tynnu amdana' i, darllen awdl gan Dic Jones,
dechrau sgwennu 'nghardiau Dolig, brwsio 'nannedd,
                                        deud nos da,
gwrando record, gwneud 'y nghinio, cribo 'ngwallt
                                        neu blannu ffa,
siarad, meddwl, sefyll, eistedd, deud helô neu ddeud fy neud,
mynd i'r car neu fynd i'r capel – sut mae gwybod
                                        p'run i'w wneud?
Felly, flaenoriaethau hynod, mawr yw'r clod a'r diolch i chi,
gwnaethoch synnwyr o 'modolaeth, rhoesoch drefn i 'mywyd i.

Aduniad Hen Ddisgyblion

Aduniad hen ddisgyblion? Fedra' i'm dychmygu dim byd
                                                    gwaeth
na mynd yn ôl i'r twll lle bûm saith blwyddyn hir yn gaeth,
ond er gwell neu waeth, dwi yma yn y gym ynghanol llwyth
o ddieithriaid llwyr oedd efo fi'n Fform Thri yn chwe deg wyth.

A dyma Kevin Roberts, gafodd dreials i Man U.,
mae o'n gwneud canhwyllau bellach mewn ryw gomiwn ym
                                                    Mheriw,
ac o sôn am gomiwn, lle mae Glyn yr hipi erbyn hyn?
– Yn ddarlithydd cymdeithaseg yn y Coleg ar y Bryn.

Dwyn tŵls gwaith coed oedd hobi Barry Kelly yn Fform Thri
a rŵan mae o'n arolygydd efo'r C.I.D.
A phwy 'di'r boi pen moel 'ma? Duw, ie, Dic Penrallt,
y cynta i'w hel o'r ysgol 'ma am wrthod torri'i wallt.

Mae Jerry'r sgin'ed nawr yn dwrne parchus yn y plwy',
yn dal i fygio pobol, ond am arian llawer mwy,
ac ma' David Leek, oedd gynt yn fachgen heglog tal mewn sbecs
erbyn hyn 'di troi'n Dei-ann 'rôl operation newid secs.

Ie, braf 'di gweld 'rhen fêts heb newid dim 'rôl sbel mor faith,
a chofio am athrawon hoff, a rhai ddim mor hoff chwaith.
A'r Sophie 'na'n fform sics na'th adael 'rysgol mor ddi-ffrwt?
Wel, hi 'di'r musus erbyn hyn – y fi oedd tad y crwt.

Clynnog

Pan oeddwn i'n teithio drwy Glynnog
ar fy ffordd o Ben Llŷn i Langynog
   mi droiais i'r dde
   wrth yr eglwys, yn lle
troi i'r chwith. Rŵan dwi yn Llangrannog.

Glynog

Pan oeddwn i'n teithio drwy Glynog
fe drodd o'n reit flin, a gofynnodd
   'Be ti'n neud yn fy mol?'
   Atebais i 'Llai o'th lol:
nid bol ydi'r gair iawn, ond stumog.'

Stici

Pan oeddwn i'n teithio drwy Glynog
y lle gwaetha un oedd ei stumog,
   yn llawn o fins peis
   a hen bwdin reis
ddim yn neis, a hen groen eirin gwlanog.

Yr Ysgol

Dwi'n cyrraedd 'rysgol erbyn wyth bob dydd,
yn edrych 'mlaen at ddiwrnod da o waith,
gan ddiolch i'r rhieni am eu ffydd;
ond dydi 'mywyd ddim yn berffaith, chwaith,
'chos mae 'na un hen ddosbarth, Pedwar W,
sy'n llawn o nytars, seicos heb ddim brên;
'mond secs a failyns ydi'u pethe nhw,
heb falio dim am wyddor, iaith na llên.
Ryw ddydd mi ddof â gwn slygs efo fi
a'u saethu nhw o fa'ma i Dimbyctŵ:
'Jyst gwna fy niwrnod, pync,' ddywedaf i
wrth fandals gwallgo dosbarth Pedwar W.
Ond wedyn, siŵr gen i, fe ddaw 'na stop
ar 'ngyrfa ddisglair fel dyn lolipop.

Rebel

Dau foi o Oes y Cerrig
oedd Wg ac Og, bois perig.
   Ond yn y bog
   gwelais Wg, heb Og
yn gwisgo ffrog a menig.

Yr Arddegau

Mae gen i bimpl melyn
yn codi'n bedair oed
a phedwar pimpl arall
ac un o dan fy nhroed.
Mi wasgaf ac mi wasgaf
yn y bathrwm nos a dydd,
ymolchaf efo Phisohex
fy nhalcen a fy ngrudd.

Ond er yr oriau lawer
rydw i'n dreulio o flaen y drych
'sa waeth 'mi heb â phonsio,
mae 'ngwyneb i fel brych.
A finnau isio denu
un o genod dosbarth pump,
sut fedra' i pan ma' 'ngwyneb i
ynghudd dan drwch o bimp-
ls?

Mae gen i flew yn tyfu
dan fy nghesail, ar 'y mrest,
yn debyg i Sean Connery,
mae'r genod yn impressed.
Wel, fasen nhw heblaw am
y sbots 'ma, sydd yn bla;
maen nhw genna'i yn y gaea',
maen nhw genna'i yn yr ha'.

Dwi'n dechre mynd yn wallgo,
gen i ferched ar 'y mrên;
mae'n rhaid cael profiad rhywiol
cyn imi fynd rhy hen.
Dwi ddim yn gwybod lle dwi'n mynd
nac os do' i at 'y nghoed,
dwi jyst gobeithio gwna' i fyw
i fod yn bymtheg oed.

Gwylio

Mae'r ddynes lawr ffor', Mrs Menders,
yn hoff iawn o wylio 'Eastenders'.
  Yn ddefodol fe'i gweli
  bob nos o flaen teli
mewn welis a bra a sysbendyrs.

Y Bwli

Mae'n gneud 'mi gario'i fagie fo a'i alw o yn 'syr',
mae'n fasdad ac yn fwy na fi – dwi'n hêtio fo, wir yr.

Mae'n licio fy mychanu i o flaen y class P.E.
Dydw i'm yn licio rygbi, felly 'di o'm yn licio fi.

Mae'n gneud i mi neud press-ups yn ddi-baid am hanner awr,
dwi 'mond 'di gneud rhyw bedwar ac mae 'ngên i ar y llawr.

Dwi bron â marw'n barod ond mae hwn yn sadist rhonc
yn gwenu yn ddirmygus yn ei drênyrs a'i wisg lonc.

Dydw i'm yn un o'r dethol rai sydd yn ei dîm pêl-droed
ac felly mae'n fy ngyrru i ar ras draws-gwlad drwy'r coed.

Mi fase shrinc yn deud bod ganddo broblem seicolegol
'rôl dod yn olaf yn y Mabolgampau Rhyng-golegol.

Os gwneith o imi redeg rownd y cae 'ma unwaith eto
mi â' i mewn i'r stafell gotiau a neidio ar ei het o.

Ond mi wn y daw y dydd pan nad y fo fydd biau'r grym,
a bryd hynny mi ga' i ddial ar Wil Jôs yr athro gym.

Cefnogwyr

Ers imi ymuno 'fo tîm Beirdd y Byd
mae 'na heidiau o ferched ar ein holau o hyd,
ac ar ôl pob rhifyn o 'Dalwrn y Beirdd'
cawn ein mobio am bod ni'n brydyddion mor heirdd.
Mae'n llunie ni ar waliau o Benfro i Glwyd –
ewch i lofft geneth ysgol, gwelwch lun Iwan Llwyd
yn gwenu'n gariadus uwchlaw'r gwely gwyn,
ac ar y wal arall – llun Ifor ap Glyn;
ar y nenfwd – posteri o Llion a fi,
ac mae tedi Twm Morys'n y gwely 'fo hi.

A phan awn ni'n pump efo'n gilydd am dro
i unigedd y bryniau i encilio ar ffo
i gyd-gyfansoddi'n barddoniaeth wych, gain,
bydd genod yn heidio o'n cwmpas fel brain;
rhaid sgwennu llofnodion o hyd ac o hyd.
(Dyna pam mae hi'n anodd rhoi cân 'mewn mewn pryd.)

Ond er yr holl ffans 'ma, mae'n rhaid imi ddeud
does 'na'm gobaith i'r merched, waeth be maen nhw'n neud.
Er gwaetha pob sylw, fy ffan penna un
fel y gwyddoch i gyd ydi'r Meuryn ei hun.

Y Dewis

Mae Pws a Bebb a Llwyd a Sant
yn arwyr mawr i lu o blant.
Wnaiff rhai ddim mynd i'r ysgol heb
lun bach o Pws, Sant, Llwyd neu Bebb.

Mae Sant a Bebb a Pws a Llwyd
yn rhoi rhai genod off eu bwyd
wrth iddyn nhw ddyheu am sws
gan Bebb neu Llwyd neu Sant neu Pws.

Be s'gen y Dewis 'ma i gyd
sydd ddim gen holl Gereintiau'r byd?
How cym bod nhw yn haeddu gŵyl,
a ni'r Gereintiau'n cael dim hwyl?

Ai'r ffaith eu bod nhw'n destun cân
sy'n gosod Dewis ar wahân?
Neu ynteu ai y ffaith ei fod
yn enw secsi iawn (fel Maud)?

Wn i'm, ond hoffwn, ar fy llw,
gael bod yn Ddewi fatha nhw.

Celwydd Golau

Mi wnes adduned unwaith i ddweud dim byd ond y gwir,
    a'r holl wir hefyd, 'tae hi'n dod i hynny,
ond cyn bo hir roedd pawb 'di troi yn f'erbyn i yn llwyr,
    casineb tuag ata' i oedd yn ffynnu:
canlyniad fy ngonestrwydd: nid oedd gennyf ffrind ar ôl
a bu raid 'mi symud tŷ a newid f'enw drwy deed poll.

'Yr union beth o'n i isio!' meddai rhai gan wenu'n glên
    wrth ddadlapio jymper polyester melyn:
dwi'n trio gwneud 'run peth, ond dwi ddim yn meddu'r ddawn
    i ganu pennill mwyn i Nain, na chanu'r delyn;
a fy nghariad i, os nad o'wn yn y tŷ pan deliffônest
mae'n rhaid mai yn yr ardd yr o'n i, nid yn 'dafarn, onest.

Dwi fel petawn i'n cofio cael fy nysgu'n fachgen bach
    i ddweud y gwir bob amser, doed a ddelo,
ond wrth edrych o fy nghwmpas mae hi'n eitha clir i mi
    fod bron pawb ar y ffidl, os nad y cello.
Pa bryd mae celwydd golau'n troi yn dwyllo neu yn fraud?
Wn i'm, ond mi dwi'n siŵr y cawn ni'r marciau iawn gan Maud.

Llythyr

Annwyl Gerallt,

dim ond nodyn – mae'n ddrwg gen i fod mor hwyr
yn sgrifennu atat – duw, ro'n i 'di drysu dêts yn llwyr.
Fedra' i ddim dod i Landwrog, dwi 'di addo rhoi help llaw
i Brian Flynn a'i hogie ar Cae Ras tan wedi naw.
Wel, rŵan lawr at fusnes – mae arna' i ugain punt
am y naw marc ge's tro dwytha, a'r deg marc ge's tro cynt;
mae'n rhaid 'mi ymddiheuro am fod mor hwyr yn setlo'r ddyled
ond mi ge's i lot o drafferth cael fy llaw i mewn i'm waled,
ac o'r diwedd rhois ddau ddecpunt yn nwylo saff Twm Prys,
ond mi ffeindiodd hwnnw'i hun yn cynorthwyo y Polîs:
er, doedd 'na'm byd amheus ynglŷn â'r arian hyd y gwn i –
mi ce's i nhw gan fab i gefnder 'nhad sy'n byw 'Nghilgwni.
Ta waeth, mi gafodd Twm ddod adre'n diwedd – heb y pres –
Tomos arall oedd y targed yn ôl y sarjant ar y ces –
ac felly, er nad oes gan Twm yr ugain punt 'n ei law,
mae ganddo ddau ddarn papur arall gwerthfawr ar y naw.
Ond gwell 'mi orffen rŵan cyn 'mi sgwennu stori fer –
amgaeaf gân (sef hon) a limrig.

Cofion cynnes, Ger.

Ôl-nodyn: paid ystyried hwn fel llythyr hwyr, 'chos ella
mai rhoi 'nhasgau mewn yn gynnar ydw i at y Talwrn nesa.

Y Gystadleuaeth

Dwi yma ar lwyfan bywyd ac ma' Mam yn gneud siâp ceg
(dwi 'di gofyn iddi beidio – wel, dwi bron yn bedwar deg),
ond dyma fi'n cystadlu yn ras y llygod mawr,
y ratrace bondigrybwyll – does 'na ddim troi'n ôl yn awr,
pawb yn crafu am y gore i grafangu at y brig –
ma'i'n fwy gwaedlyd na'r ysgarmes am fynd 'mewn i'r
                                        Premier League –
a be rown i heddiw am gael help athrylith fel Dalglish
i ymgyrraedd at y criw sy'n ennill ugain mil y mish,
ond fe ddwedan nhw nad ydi hyd'noed hynny ddim yn ddigon,
maen nhw'n disgwyl y Meseia, neu o leia Kevin Keegon.

Mae'n gystadleuaeth ffyrnig ond does gen i fawr o fynedd,
dwi'n meddwl cymra' i wyliau bach am dair neu bedair blynedd,
'chos mewn unrhyw gystadleuaeth dim ond un sy'n gallu ennill;
'sa'n well gen i dwi'n meddwl fod yn un o'r rhedwyr er'ill.

Mi ddropia' i mas o'r ratrace, mi sgwenna' i gân neu ddwy,
ymuno efo tîm o feirdd sy'n brysur yn y plwy'.
Dyma fywyd cymaint iachach nag ymdrechu i ddringo'r ysgol,
mae'n siwtio fi yn llawer gwell – dwi'm yn ddyn cystadleuol;
a dyma fi'n cystadlu yn y Talwrn ar nos Sul:
os na roith Gerallt ddeg i mi dwi'n mynd i lyncu mul.

Clawdd Offa (1)

Ymhell bell yn ôl fel mae'r hanes yn sôn,
yng nghyfnod yr arthod a'r blaidd,
fe drigai yn Lloegr ryw Seisyn bach blin
sef Algernon Ponsonby Smythe.
Roedd pawb yn anghofio ei enw o hyd
er iddo fo drio'u hatgoffa,
ac felly'n lle Algie neu Ponsie neu Smythe
roedd pawb yn ei alw yn Offa.

Doedd Offa'm yn hoff iawn o fawr iawn o neb,
ond yn bennaf o'r rhain oedd y Cymry
oedd yn heidio i Loegr i brynu tai ha'
ac i agor siops têc-awê llymru.
Un diwrnod wrth deithio'n ei limosîn crand
mi waeddodd Off 'Stop!' ar y Choffa,
roedd o wedi cael syniad – un gwreiddiol a gwych,
roedd o am adeiladu clawdd Offa.

Mi anfonai'r holl Daffis i Gymru yn ôl
a chadw'r hen Loegr i'r Saeson,
mi godai ei fersiwn o o'r Berlin Wall
(wrth lwc roedd o'n dipyn o Feson).
Ac ar ôl cael ei syniad, orffwysodd o ddim,
ni orweddodd un awr ar ei soffa,
mi brynodd y mortar, mi brynodd y brics
– mi gafodd nhw ar sbesial offa.

Ac off a fo wedyn i fildio y wal
ond doedd ganddo fo'm digon o frics
a phan safodd yn ôl i edmygu ei gampwaith
fe deimlodd yn dipyn o bric
'chos mond un rhes o frics oedd rhwng gogledd a de,
mi luchiodd o bridd dros y lot,
ac wedyn mi bwdodd ac ymaith â fo
i'r Lake District i hwylio ei iot.

(Roedd un nodwedd bwysig yng nghanol y clawdd –
tua Trefaldwyn, os ydw i'n coffa,
Mae 'di mynd erbyn hyn, ond mi roedd 'na dŷ bach,
ac roedd pawb yn ei alw'n Bog Offa.)

Stori Amser Brecwast

Un bore, wrth fwyta fy nghreisiawn
mi sylwais i fod un o'r gweisiawn
   'di poeri'n y llaeth
   ond be sydd yn waeth –
doedd be wnaeth o'n y siwgr ddim yn neis iawn.

Clawdd Offa (2)

Aeth Jac 'y mrawd am dro i'r mart; mi gafodd ddiwrnod da,
mi werthodd fuwch y teulu am ryw gwdyn bach o ffa.
Ond pan ddaeth adre'n llanc i gyd, aeth Mam yn syth drwy'r to:
'Rwyt ti 'di gneud hi rŵan Jac, yn do? yn do? yn do?'

'Ond gwrandwch Mam, mi ge's i'r ffa gan ffarmwr o'r Ba-la,
a dwedodd hwnnw wrtha' i: 'rhai da 'di'r ffa 'ma, wa.'
'Rhai da!' ebychodd Mam yn flin, 'wel ie, da i ddim byd!'
a chydiodd yn y cwdyn ffa a'i luchio fo i'r stryd.

Ac wedi torri'i grib, aeth Jac i fyny i'w wely toc
ond yn y bore, wrth edrych drwy y ffenest, cafodd sioc!
'chos yn y stryd o flaen y tŷ tyfasai clawdd o ffa,
a mestyn wnâi i lawr y stryd a heibio'r siop da-da.

Mi neidiodd Jac i'w ddillad ac mi ruthrodd lawr y staer
at y bwrdd brecwast, ond roedd Mam yn siarad efo'i chwaer
yn Wagga Wagga ar y ffôn; doedd dim amdani mwy
i Jac ond ffrio'i fwyd ei hun – bîns, bara saim ac wy.

Ac wedi golchi'i frecwast lawr â mygaid mawr o de,
mi ruthrodd Jac 'nôl fyny'r staer i frwsio'i ddannedd e,
ac yna, 'nôl lawr staer â fo a chribo'i wallt yn dlws,
ac wedi gwisgo'i gap a'i gôt agorodd Jac y drws

yn araf a disgwylgar iawn i weld y clawdd o ffa,
ond och! pan gamodd o i'r stryd doedd y clawdd ffa . . . ddim 'na!
Mae'n siŵr mai'r ffa 'na ga'th o i swper neithiwr oedd y trwbwl,
'chos wir i chi, mae'n siŵr gen i mai breuddwyd oedd y cwbwl.

Yr Hysbyseb

Fe'i gwelais yn Yr Herald
Ymhlith yr hys-bys mân:
'FEIRDD - YDYCH CHI'N CAEL TRAFFERTH
WRTH GEISIO SGWENNU CÂN?
YDI'R AWEN YN DIFLANNU
A CHITHAU AR GANOL CERDD?'
'Wel, ydi braidd,' meddyliais,

Dychwelyd

Doedd Wil ddim yn deall yn union
sut yr oedd y planedau yn sbinio'n
   nhragwyddoldeb y nen.
   Fe grafodd ei ben,
a gwnaeth fodel o bren ac olwynion.

Prydyddion

Rhai od ar y naw yw prydyddion,
yn chwislo'n ddi-baid drwy'r newyddion,
   ond chlywch chi ddim smic
   pan fydd Gerallt a Dic
ar y radio'n beirniadu cywyddion.

Croesi'r Afon

Un diwrnod cefais alwad, a honno'n alwad ffôn
yn gofyn imi ganu yn rhywle yn Sir Fôn.
'Sut groeso gaf i yno?' meddwn i, yn betrus braidd.
'Rhyw bethe reit anghynnes ydi'r Monwyr yn y gwraidd:
rhyw rai fel Margret Wiliams, J.O. Roberts, Tony Bach,
mi fedrwn i fy nghael fy hun mewn lot fawr iawn o strach.'
'Ew, na, mi gei di groeso, maen nhw i gyd yn hynod glên,'
meddai'r cyfaill ar y teliffôn: mi brynais docyn trên
i groesi afon Menai dros Bont Britannia fawr,
mi fyddai'r trên yn gadael mewn rhyw dair neu bedair awr.
I aros y gerbydres, mi es am beint i'r Glôb,
(ma'r trêns 'ma mor anwadal, ma' isio 'mynedd Job).
I dorri stori hir yn fyr, ce's dri neu bedwar peint
a bîns ar dôst i lenwi 'mol, a watsio Greavesy a'r Saint,
ac yna 'nôl i'r orsaf, ond och! ow! gwae! am ddrama!
roedd y trên 'di mynd am Ynys Môn, a minnau'n dal yn fa'ma.
Es 'nôl i'r Glôb yn wantan, ce's ail lond plât o fîns,
a thripheint arall o Drafft Bass, a pînyts blas sardîns:
ro'n i'n teimlo'n reit ddigalon; ro'n i'n teimlo'n eitha twit,
roedd rhaid 'mi groesi'r afon, roedd rhaid 'mi fynd – ond sut?
Ac yna cefais frênwêf: mi awn i lawr i'r piyr
a gofyn i ryw forwr llon, 'D'iw sêl tw Môn ffrom hiyr?'
Ac felly mi ffarweliais efo Wil a Mags yn Glôb,
a ffwrdd â fi a 'mol i'n llawn o Drafft Bass a ffa pob;
ond siom oedd yn fy nisgwyl unwaith eto ar lan y Fenai:
roedd trip mewn cwch yn bedair punt, a dim ond dwy oedd
                                                      genna'i.
'Mi a' i â ti ryw hanner ffordd,' medde un hen gychwr, Paul,
'ond wedyn mi fydd raid 'ti fynd dy hun; fydda i'n troi'n ôl.'
Wel, erbyn hyn doedd gen i fawr o ddewis, deud y gwir,
so dyna sut, am bump o'r gloch, y bu imi adael tir,

a hwylio dros y Fenai – wel, hanner ffordd ar draws –
a chware teg i'r cychwr clên, ce's frechdan bicl a chaws;
ond fel roedd Paul am droi yn ôl, mi deimlais wynt anferthol –
nid gwynt o'r gogledd nac o'r de, ond yn fy mol – gwynt nerthol,
ac yn sydyn, dyma ffrwydriad, wrth imi dorri gwynt
ac mi wibiais drwy yr awyr fel roced, ond yn gynt.
Mi ffliais dros y Fenai, diolch i nwy y Bass a'r bîns,
a do'n i'm gwaeth 'rôl glanio, 'blaw am dwll mawr yn fy jîns.
Ond glanio wnes yn Llanfairpwll – hen dre fach fudur, front,
ac felly es i'r stesion i ddal trên cynta 'nôl dros bont.

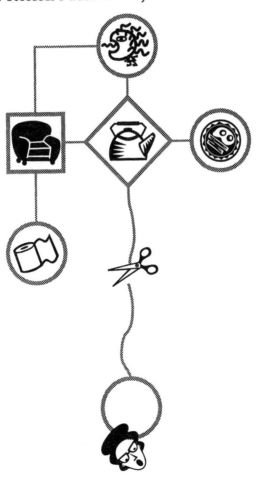

Cân y Dyn Blin

Mae 'mhensel i 'di colli min – dwi'n flin:
fe gamsillafodd rhywun 'Løvgreen' –
arglwydd mawr, dwi'n flin.
Mi gafodd Vinny Jones send off,
fe fwytodd rhywun fy stroganoff,
a chi i gyd, jyst bygar off,
dwi'n flin.

Mi ganodd rhywun 'God Save the Queen' – dwi'n flin:
dwi'n cael galwadau ffôn obscene –
arglwydd mawr, dwi'n flin.
Mi frifais ar y cae pêl-droed,
dwi heb gael rhyw pleserus rioed,
deud gwir, dwi'n dechrau teimlo f'oed,
o, dwi'n flin.

Mae rhywun yn gofyn am chwip din – dwi'n flin:
dwi fel gwraig Tecwyn Parry, Jean –
arglwydd mawr, dwi'n flin.
Dwi bron â ffrwydro, dwi ar dân,
dwi rili wedi gwylltio'n lân,
pam ddiawl dwi'n boddran sgwennu cân?
dwi'n flin.

Teledu Lloeren

Os am gael crap ar hynt y byd
   Neu os am weld y ffeit,
Neu am y sêr ar MTV
   Mae'n rhaid cael sateleit.
Os am weld ail-ddarllediad gwych
   O'r gyfres 'Peyton Place'
Neu gartŵn cwlt o Merica
   Mae sateleit yn neis.
A beth os ydi crach y stryd
   Yn wfftio at fy 'nish'
Gan ddweud mai'r cwbwl sydd ar Sky
   'Di sothach a ryb-ish.
Y fi sy'n iawn, does dim ond rhaid
   'chi edrych ar y ciw
Sy'n talu punt i ddod i 'nhŷ
   I wylio gêm Man U.

Goering

Un od ar y naw ydi Goering.
Fe'i gwelais yn yfed yn Y Ring
   (Llanfrothen) un dydd.
   'Be wyt ti'n neud yn rhydd?'
medde finna. Wel am gwestiwn boering.

Y Ffeiliau Ll

Dach chi 'di clywed am yr X Files yn America mor bell,
wel, 'nôl yma yng Nghymru mae gennon ni y Ffeiliau Ll,
ac yn rheiny mae gwybodaeth am ddigwyddiadau anesboniadwy,
ac yn rheiny mae'n rhaid edrych i drio deall yr annealladwy.

Fel Gorsedd y Beirdd – yden nhw'n fodau arallfydol
wedi glanio yma yng Nghymru i orchyfygu'r hil ddynol?
Pam fod angen gofyn 'Pam fod eira yn wyn?'
a be 'di'r pŵer grymus cudd sy'n gyrru Gareth Glyn?
Pam fod llythyrau boring sy'n ymddangos yn y Cymro
yn troi fyny eto yn Golwg 'mhen rhyw ddau neu dri diwrnod?
Pam fod actorion 'Brookside' mor drybeilig o wael?
a pham fod angen i neb ddeud nad llwynog oedd yr haul?

Pa fath o fagnet sydd yn tynnu pres lawr ochrau'r soffa?
a pham mai stwff ti'm isio sy' o hyd ar sbesial offer?
Pwy sy'n mynd o gwmpas yn gwasgu'r twthpest yn y canol?
Pwy 'di Felix Aubel? Pam fod o mor . . . wahanol?
Pam fod menig a chlips papur bob amser yn diflannu?
ac o ble ge's i y syniad 'y mod i'n gallu canu?
Pam fod yn well gan Charles Camilla na Diana?
'Di'r atebion ddim gen i, ond mae'r gwirionedd allan fan'na.

Pwy'n union sydd yn prynu stwff y Smyrffs a Margaret Wilias?
A pham fod rygbi Cymru mor uffernol o embaras?
Pam fod bwyd rhywun arall wastad yn edrych yn well?
Wn i'm, ond mae'r atebion yn y Ffeiliau Ll.

Oedfa Gofiadwy

Mi ddechreuodd hi fel bob dydd Sul, yr oedfa honno ym Mai,
Y selogion yn bresennol – saith ohonom, fwy neu lai,
Ac un ferch ddiarth yn y cefn mewn sgert a siaced biws;
Mae'n rhaid mai hi oedd hogan y pregethwr Dafydd Huws.
Roedd hwnnw'n wyneb newydd hefyd, neb 'di'i weld o'r blaen,
A rhyw liw haul ganddo fel petai 'di treulio mis yn Sbaen.
Pan ddywedodd 'Cyd-weddïwn', plygodd pawb eu pennau i lawr,
Ond ce's gip ar y ferch ddiarth yn ymlwybro i'r sêt fawr
Cyn dringo i fyny i'r pulpud (ro'wn i'n sbecian rhwng dau fys)
Fe dynnodd rhywbeth allan a fu'n llechu dan ei chrys.
Ac wrth i mi ei gwylio hi mewn dychryn ac mewn braw
Mi roddodd byped Sooty yn ddeheuig ar ei llaw,
A gwisgodd y Parchedig Huws bypedau Sweep a Soo
Ac wedyn cawsom sioe bypedau hynod ganddyn nhw.
Roedd yr actio'n well na dim o waith Hugh Grant a Meryl Streep
Ac esboniwyd diwinyddiaeth byd gan Sooty, Soo a Sweep.
Ond cyn i neb gael cyfle i ddeud 'Be 'di hyn? Pwy w't-ti?'
Diflannodd y Parch Dafydd Huws, a'i ferch, a Sweep a Sooty,
Ond yn eu brys gadawsant Soo yn sypyn swrth ar lawr
A byth ers hynny hi 'di'r ben blaenores yn sêt fawr.

Ym Mhen-y-groes

Roedd dyn bach yn byw 'Mhen-y-groes,
hoffai eistedd mewn llond bàth o does.
　　Roedd un arall yn hoffi
　　gorweddian mewn toffi.
Mae 'na bobol reit od yma 'ndoes?

Codi Gwrychyn

Sut i godi gwrychyn? Wel – dyma ambell syniad del:
cuddio trowsus Gareth Glyn; taflu traethawd gradd i'r bin;
bod yn beiriant llosgi tost; cael colofn yn y Daily Post;
deud bod mab y Cwîn yn hyll; baglu pobol yn y gwyll;
cynnal rêf yn stafell ffrynt; deud 'dwi'n fab i David Hunt'
neu Rod Richards neu Keith Best; pwnio pobol yn eu brest;
llafarganu yn y llyfrgell; cadw madfall yn yr oergell;
ymgyrchu dros y wialen fedw; pigo trwyn ar fysus Nedw;
eistedd yn tŷ bach am awr; deud mai twll 'di Clynnog Fawr;
torri'ch gwallt mewn ffordd wahanol;
$$\text{gwasgu'r twthpest yn y canol;}$$
gweiddi lot ar bobol swil; galw Dafydd Êl yn Wil;
peidio arwyddo wrth droi cornel; gwrando ar 252 yn capel;
magu llygod mawr yn 'rar'; cadw cathod bach mewn jar;
achub cam y Welsh F.A.; sbelio Løvgreen efo 'e';
bod yn aelod o'r Bwrdd Iaith; chwislo drwy newyddion saith;
gwthio o flaen pawb yn y ciw; llenwi menig efo gliw;
bod yn boring; cam-drin plant; deud mai fraud oedd Dewi Sant;
trin hen bobol yn ddi-hid; ond yn waeth na'r rhain i gyd –
sôn am newid 'Stondin Sulwyn': *dyna'r* ffordd i godi gwrychyn.

Wil Mk II

Roedd Wil Foty Ganol yn gwybod
pa bryd i ddefnyddio didolnod
   a chan ei fod biau
   dau ddeg o lorïau
am wn i nid oedd hynny'n ddim syndod.

Codi Calon

Paned dda am ddeg o'r gloch;
Peidio mynd i Abersoch;
Eistedd yn y Blac drwy'r pnawn;
Uchafbwyntiau 'Disg a Dawn';
Peint o Ginis draw yn Werddon:
Pethe bach sy'n codi 'nghalon.

Gweld y ddau Ffranc ar y bocs;
Meddwl am Samantha Fox;
Mici Tomos yn cael gôl;
R'n'B a roc a rôl;
Gwlad yr Iâ'n rhoi cweir i'r Saeson:
Pethe bach sy'n codi 'nghalon.

Teimlo 'mod i wedi creu;
Chwerthin am ben jôcs am weu;
Mwydro Ffrances o Quebec;
Anghofio am Es Pedwar Ec;
Rhywun yn sic dros Doctor Alan:
Pethe bach sy'n codi 'nghalon.

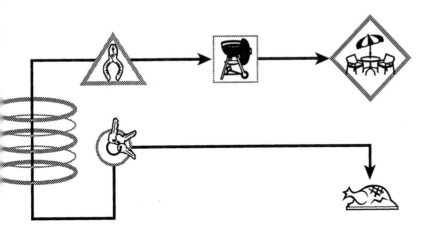

Nadolig 1965

Ma'i 'run fath bob Nadolig; pam mai fi sy'n cael short straw?
Y fi oedd gŵr y llety'n sicsti-thri a sicsti-ffôr.
Pam na cha' i fod yn fugail, neu yn un o'r tri gŵr doeth?
'Swn i'm yn cario'r thus 'na fel petai o'n daten boeth.

Dwi'n siŵr 'mod i heb gael fy newis am 'mod i'n rhy fyr,
Ond ers pryd mae taldra'n un o gymwysterau cario myrr?
A taswn i'n ŵr doeth mi ffeindiwn bresant *dipyn* gwell
na hen dun Roses sydd yn 'edrych fatha myrr o bell'.

Mae'r doethion 'na ill tri yn edrych yn rial ciari-dyms,
Pob un mewn coron garbod 'di'i addurno 'fo fruit gums.
Ac os nad dwi'n ddigon tal i gario myrr; be 'di'r ecsgiws
'mod i'n methu bod yn fugail? Mae gen i ddresin-gown piws
'run fath â hwnne'n fanne, sy'n ei lordio'i rownd y festri
efo ffon ei daid, a'i ben ar goll mewn lliain sychu llestri.

'Swn i'n licio bod yn angel efo tinsel ar 'y mhen. Od –
'di'r Beibil ddim yn deud eu bod nhw'n gorfod bod yn genod,
Ond welwch chi byth fachgen yn cael gwisgo'r 'denydd gwyn.
Tybed be s'gen y Comisiwn Cyfle Cyfartal i ddeud am hyn?

'Nes i gynnig actio'r asyn, ond mi chwarddon ar 'y mhen i;
A pham mai mab y gw'nidog ydi Joseff eto 'leni?
Dwi'n siŵr 'swn i 'di cael y rhan, heblaw am incident
ar fws y trip ysgol Sul, pan oedd y gw'nidog yn sêt ffrynt.
Mi daerais i bryd hynny nad y fi na'th luchio'i het o.
Mae'n amlwg na'th o'm 'y nghoelio fi. Dwi'n ŵr y llety eto.

Ond dwi'n meddwl gwneud un newid bach i'r sgript tro 'ma
am chênj
Dwi'n siŵr y dylai dyn y llety fod yn foi mwy clên,
So pan ddaw Mair a Joseff i ofyn oes 'na le
mi ddeuda' i 'Oes siŵr, dowch mewn, 'na'i baned bach o de.'

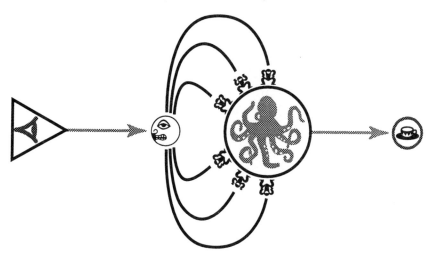

Hess

Un od ar y naw ydi Hess.
Fe'i gwelais ar draeth Inverness.
   Roedd ei ddillad yn rhacs
   a'i glustiau'n llawn wax
a'i wallt o mewn uffern o fess.

Elwyn

Un didwyll sydd ddim yn Geidwadwr
yw Elwyn, a fedrith o'm cadw'r
   pritèns 'ma i fynd;
   mae'i gath yn cyd-fynd:
'mae o'n idiot, ond dydio'm yn fradwr'.

Penbleth

(wrth gyrraedd 'Talwrn y Beirdd' yng Nghlwb Golff
Caernarfon heb sgwennu cân)

Dwi'n crafu 'mhen nes colli 'ngwallt,
dwi ddim yn gwybod, ddim yn dallt
yn union be dwi fod i'w wneud
a minnau heb ddim byd i'w ddeud.
Dwi wedi dod i fa'ma heno
heb gân na dim, dim ond llond pen o
rwdl diddiwedd a dig'wilydd
ac ambell odl waeth na'i gilydd,
a'r gwir amdani, does 'na'm sein
y medra' i gario 'mlaen dros ugain lein
heb gael problemau wrth drio sganio
ac ella hyd'noed gael fy manio
o'r Talwrn a'r Clwb Golff am byth
am sgwennu cân sy' mor aruth-
rol o ddi-fflach a gwael a phig
a sâl a boring a non-league
sy' jyst yn mynd ymlaen a 'mlaen
yn ddiddychymyg a di-raen.

Ond dyna fo, yr awen bylith:
mae terfyn hyd'noed ar athrylith.

Limrig yn cynnwys enw mynydd

Un flewog ofnadwy oedd Anna,
blew llwydaidd a hir, fatha lama.
   'Ti'n flew drostat i gyd?'
   holais i yn ddi-hid.
'Duw, na,' meddai hi, 'dwi'n Foel Fama'.

Y Gyfraith

Yn dibynnu ar eich geiriadur, mae'r gyfraith yn asyn neu'n din,
dyna pam rydw i 'di mynd ati i sgwennu fy nghyfraith fy hun.
Dydi hi'm yn llenwi cyfrolau – un ddalen A4 wna'r tric;
wrth chwilio am bwynt bach o gyfraith, fel arfer dech chi isio
fo'n gwic.

Defnyddiais fy nghyfraith i gynta i roi'r dyn drws nesa yn jêl,
fydd hynny yn dipyn o wers iddo fo, am beidio dychwelyd
fy mhêl;
ac wedyn fy hen athro hanes, ga'th hwnnw bum mlynedd
reit siŵr
am roi gwersi am Battle of Britain, a pheidio deud gair
am Lyndŵr.

Dech chi'n tybied yn lle y mae'r prifardd, Iwan Llwyd? Wel,
ga'th o bedwar mis
(fel Keith) am fod â bol yn ei feddiant a fyddai'n creu breach
of the peace.
Mae Twm Morys yn methu bod yma; mae yntau Bob Delyn
dan glo
yn alltud mewn cell ddu yn Llydaw ers misoedd, ei het o
na'th sbragio arno fo.

A bardd y ciwcymbars, Ifor ap Glyn, mae o yn y clinc ers
dydd Llun;
mi gafodd o'i ddal yn y diwedd gan ei Seciwritate Camdreiglo
fo'i hun.
A'r nesa'n y doc ydi'r Meuryn. Mae angen rhoi dedfryd reit gry'
fel esiampl i bawb. Am roi testun mor big; Glerc, pasiwch fy
nghapan bach du.

Perthyn

Pe bawn i'n fab i Jimmy Hill
a faswn i'n cyfadde?
Na, tyfu barf i guddio 'ngên
a wnawn i'n bendifadde.

Pe bawn i'n dad i Aled Jones
sy'n canu ar diwifyr,
Rhoi celpan iddo wnawn bob dydd,
y cwdyn bach annifyr.

Pe bai hi'n digwydd bod Syr Wyn
ap Con Club imi'n ewyth',
Mi awn â fo yn ôl i'r siop
a gofyn am un newydd.

Pe bawn i'n dad drwy anffawd mawr
i'r aelod o Gaerfyrddin,
Mae'n rhaid 'mi ddeud y baswn i
'di'i foddi o ers meitin.

Pe bawn i'n llwyddo i gael deg
o farciau gan y Meuryn,
Mae rhywun rhywle'n siŵr o ddeud
'Mi fetia' i fod o'n perthyn.'

Priodas Gymysg

Yr oedden ni mewn cariad, a hwnnw'n gariad pur,
pa ots am wahaniaethau? pwy sy' isio codi mur?
Dywedodd rhai y dylwn i anghofio 'ngwrthrych serch:
yn doeddwn i yn hogyn, a hithe . . . wel, yn ferch?

I rai, mi ro'n i'n wallgo, i rai roedd hyn yn frad,
a 'neith y peth ddim gweithio' oedd cyngor 'nhad a . . . 'nhad.
Ond er gwaethaf yr holl rwystrau, pr'odi wnaethom un
                                                    prynhawn –
y briodas gymysg gyntaf yn ein pentre ni, bron iawn.

A wir, roedd hi yn bictiwr yn ei gwisg o wlân mor wyn,
yn cerdded 'mewn i'r capel, a phawb yn syllu'n syn,
ond hyd yn oed bryd hynny, ar ddiwrnod mwya f'oes,
roedd gen i ryw amheuaeth fod pethe ar fin mynd yn groes.

Pan ofynnodd y gweinidog iddi wnâi hi 'nghymryd i
mewn glân briodas, bla bla bla, 'mond 'Be-e?' ddywedodd hi;
ac yn y wledd briodas, roedd pethe gwaeth i ddod,
mi redodd allan ar ôl byta het fy Anti Maud.

A ffwrdd â hi i'r mynydd, ac o, mi roedd 'na le.
Mi waeddais unwaith ar ei hôl, mi glywais hi'n deud 'Be-e?'
a'r cyngor ola' s'gen i am yr un a redodd ffwrdd –
peidiwch byth â phr'odi dafad, oni bai eich bod chi'n hwrdd.

Canmlwyddiant

Mae 'leni'n flwyddyn dathlu mawr, a'r Talwrn yn gant oed,
yn y flwyddyn dwy fil saith deg naw, mae o cystal ag erioed.
Yn ystod y can mlynedd gwelwyd llawer tro ar fyd,
ond y Talwrn fu yn gyson dros y cyfnod ar ei hyd.
A diolch wnawn i Gerallt, sy'n ymddeol y flwyddyn hon,
wel, chware teg, y mae o'n gant a deg ar hugain, bron,
ac wedi bod yn feuryn ers y rhaglen gyntaf un.
Wrth gwrs, y dyddiau yma y mae pawb yn byw yn hŷn.
Wel, cym'wch Dafydd Iwan – mae hwnnw'n dal i holi
pam fod eira'n wyn, er gwaetha bod y Pegwn 'di meirioli
a ninnau heb weld pluen eira ers mil naw naw naw –
heb weld dim tywydd, deud y gwir, ond glaw a mwy o law.
Rhai eraill sy'n dal efo ni 'di cewri Beirdd y Byd,
ac ambell un yn dal i fethu rhoi tasgau 'mewn mewn pryd.
Mae Iwan Llwyd, wrth gwrs, yn mynd o le i le mewn jet,
ac mae'r Prifardd Twmi Morys yn Archdderwydd yn Nhibet.
Y timau salach aeth i ebargofiant tra haeddiannol,
a rŵan maen nhw'n rhan o'r theme park yn y Gloddfa Ganol,
ond cododd timau newydd i ymrysona bob nos Fawrth;
bydd gornest 'rwythnos nesa rhwng Beirdd y Byd a'r Blaned
                                           Mawrth.

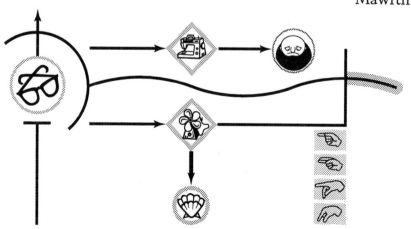

Y Dathlu

Mae coridorau'r BBC yn drimings a balŵns;
ni welwyd parti cweit mor fawr ers ailddarlledu'r 'Goons'.
Mae'r beirdd 'di dod 'nôl at y meic,
ac Aled Glynne 'di torri'r streic.

Mae top nobs Radio Cymru yno i gyd mewn hetiau parti
yn curo cefnau'i gilydd ac yn yfed yn reit harti.
Mae'r Myrddin ap 'na ar ei feic,
ac Aled Glynne 'di torri'r streic.

Mewn pentrefi ledled Cymru, mewn trefi dros y byd,
mae'i'n fynting ac yn sosej rôls a phartis yn y stryd.
Estynna frechdan wy a cress,
mae'r beirdd 'nôl ar y weiarless.

A ninnau, 'rôl caledi'r streic heb gyflog a heb grant,
gawn edrych 'mlaen am siec fach i roi bwyd ym moliau'r plant.
Maddeuant rown i'r sgabs a fu
'n englyna ar y farchnad ddu.

Hip hip hwrê, agorwch botel arall o siampên.
Yr hen anghydfod ddaeth i ben, mae pawb yn gwenu'n glên.
Mae pawb ohonom, one and all,
yn dathlu am fod y Talwrn 'nôl.

Cywirdeb Gwleidyddol

Because we're now appearing on the new-look BBC
we've got to have some English songs. We've got to be P.C.
We need to attract new listeners to the service after all;
to do our poetry all in Welsh just wouldn't do at all.
The poets' strike is over, new guidelines have been made
regarding just how many English records must be played,
and having listened for a week I think it's safe to say
that any English on the radio has to pay its way.
It's not at all gratuitous, it's very clearly based
on quotas, and it's all done in the best possible taste
(that is, of course, if you've a taste for naff 70's hits,
and if Bony M and Michael Bolton don't get on your tits).
Yes, Radio Cymru's shed its narrow Welsh mentality,
Ian Skidmore is delighted, so that's good enough for me.
No longer must our young people tune in to 252,
now they can hear the English charts on Radio Cymru too.
And to think that if those bolshie bards had had their
                                                wicked way
there'd be nowt on Radio Cymru except bloomin' Welsh all day.

Freddie Mercury

Arian byw yr R'n'B – yn hymio
        Bohemian Rapsodi,
    Hir oes i'r peth bach crêsi
    a'i enw, serch, y ferch a fi.

Sgandals

Hei, wyt ti 'di clywed am y Cynghorydd lleol
yn mocha efo prifathrawes wedi ymddeol?
Mae'r ficar 'di diflannu efo un o'i braidd
a hwnnw'n hogyn ifanc – pawb 'di synnu braidd
ac mae sôn am ecsploits Nain efo'r criw SAS
i gyd ar dudalennau y tabloid press
Mae o'n sgandal . . .

Mi welodd rhywun fy ngh'nither i yng nghar Hugh Grant,
a hithe'n ddynes barchus efo pedwar o blant
ac mae'i mor anodd cadw ar y llwybr cul
pan ma' 'na ffatri LSD yn yr Ysgol Sul
a rêfs yn cael eu cynnal yn y festri
a'r News of the World yn deud 'u bod nhw'n
                              mynd dros ben llestri
Mae o'n sgandal . . .

Mae'r maer heb ei chadwyn yn feddw dan y bwrdd,
mae'r dyn sy'n casglu pres y pŵls 'di rhedeg i ffwrdd
mae'r papure dydd Sul yn gwerthu fel slecs
ar ddeiet o sgandal a rhagrith a secs
ac os oes gen ti sgerbwd mewn rhyw gwpwrdd yn y tŷ
wel watsia dy hun, mi ddaw dy dro di
i fod yn sgandal . . .

Cân o Fawl i'r Arglwydd
(ar achlysur ei 50fed pen-blwydd)

Mae heddiw'n ddiwrnod dathlu –
    mae'r Arg yn hanner cant,
bydd sôn am yr achlysur
    'mhlith ein plant a phlant ein plant.
Mae 'di cyrraedd yr oed mawr 'ma
    heb gymorth unrhyw grant,
dwi'm yn deud ei fod o'n hen
    ond mae o'n cofio Dewi Sant.

Mae o'n hŷn na David Wicks
    ac mae o'n hŷn na Phil a Grant,
mae o'n hŷn nag ymosodwr
    Cardiff City gynt, Phil Stant.
Mae o'n hŷn nag Elfyn Llwyd
    ac mae o'n hŷn na'r hen Hugh Grant,
mae'n bosib fod o hyd yn oed
    yn hŷn nag Adam Ant.

Dwi'm isio ei ypsetio fo
    wrth adrodd hyn o rant,
'chos chware teg, ma'n iau
    na Jimmy Page a Robert Plant,
ond mae o yn heneiddio
    ac yn cerdded braidd ar slant,
a 'di deud ta-ta wrth roc 'n' rôl
    a helô wrth gerdd dant.

Ond am heddiw mae'n rhaid dathlu,
   'Pen-blwydd hapus' fydd ein siant,
ma'i lawr yr allt o hyn ymlaen,
   ymlaen rŵan am y cant.

Ti'n hen, ond ei di byth yn stêl,
so pen-blwydd hapus, Dafydd Êl.

Geraint Løvgreen a'i (hanner) cant

Ing

Pan oeddwn i'n mynd i Ros-lan
mi basiais i hen garafán,
   ac ar fy ffordd 'nôl
   mi basiais i stôl.
'Na'r tro olaf i mi fyta bran.

Unigrwydd

Doedd pobol drws nesaf ddim gartre,
na'r plismon, na gweddill y pentre.
   Doedd 'na ddim bw na be
   yn strydoedd y dre.
Lle gythrel mae pawb wedi mynd 'te?

John Davies, Bwlch-llan

Wel, mae llyfre hanes heddiw i gyd yn llawn
o straeon digri am ryw gymeriadau lliwgar iawn,
mae 'na sôn am droeon trwstan, a dywediadau ffraeth,
am frenhinoedd drwg a gweinidogion gwaeth,
ond o'r holl bobol ddifyr a ddarllenais amdan,
does 'na neb cweit mor ddifyr â John Bwlch-llan.

Wel mae'r gŵr o Fwlch y Llan yn hanesydd o fri
ac yn gwbod lot mwy am hanes na chi a fi,
yn ddiwylliedig a diddorol, does 'na neb byth
yn cymysgu rhwng John Bwlch-llan a Dai Smith.
Mae ei lyfr am Hanes Cymru wedi gwerthu fel slecs,
a hynny heb ddibynnu ar drais a secs.

Edmygydd Winston Churchill, chwaraewr croquet brwd,
un sy'n gallu bod yn ddeifiol wrth drafod ambell gwd;
yn dad i lot o blant ac i'w fyfyrwyr i gyd,
yn un neith aros am sgwrs wrth basio yn y stryd;
Hanesydd, llenor, warden, darlithydd, Cameo Man,
y rhain i gyd a mwy ydi John Bwlch-llan.

Os eith rhywun ati rywbryd i hel anecdots ynghyd
am gymeriadau mawr ein cornel ni o'r byd,
o wybod be dwi'n wybod am y dyn
mi fydd yn rhaid i John Davies gael pennod iddo'i hun
achos o'r holl bobol ddifyr a ddarllenais amdan,
does 'na neb cweit mor ddifyr â John Bwlch-llan.

Cân i Gymru

Gallwch ennill Cân i Gymru'n ddi-ffael
'mond sgwennu ryw rybish am lwynog a haul,
neu gân sy'n mynd 'mlaen am oria ac oria
efo 'mond un lein trwmped, ac enw fel Gloria;
os 'di'n anodd cael geirie sy'n swnio yn dda,
anghofiwch nhw – jyst rhowch 'oo la la la la'
neu gwenwch wrth ganu am byllau 'di cau
neu driongl sy'n dwll, am bennill neu ddau,
neu mwydrwch am Rastas ar fryniau Bethesda
neu molwch ryw seico fel Wini Mandela.
Ie, rhy hawdd 'di ennill, does 'mond angen tiwn
a channoedd o ffrindie i ffônio i miwn.

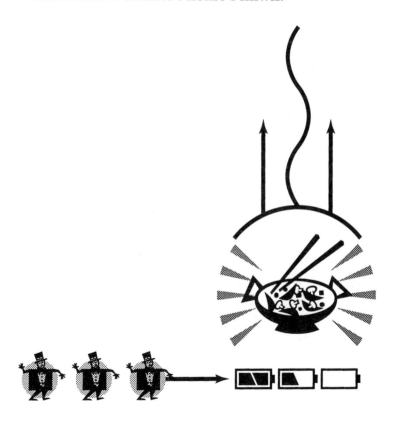

Ar Ymadawiad Cydweithiwr

(sef Mair P-J o'r Cyngor Sir)

Daeth heddiw ddydd ffarwelio
a gorchwyl drist yn wir
yw dweud ta-ta wrth eneth dda
sy'n mynd o'r Cyngor Sir.

Fe roddodd hi chwe mlynedd
o wasanaeth gwerthfawr iawn,
ond daeth y dydd i dorri'n rhydd,
mae'n gadael heddiw pnawn.

Bu dathlu mawr drwy Brydain
pan ryddhawyd Terry Waite,
pum mlynedd hir mewn estron dir
mewn cell heb lyfr na sêt

ond nac anghofiwn aberth
ein cyfieithydd siriol, Mair,
chwe blynedd hir 'n y Cyngor Sir
yn cyfieithu air am air

mewn cyfarfodydd diflas
a rhai difyr ambell waith,
dibynnai'r Sais ar swynol lais
Mair ni, mae hynny'n ffaith.

Mae Walter heddiw'n wylo,
Mr Grant yn very sad,
mae Mr Finch 'di mynd ar binj
ac O'Toole, wel, 'he's just mad'.

Ymbilio arni i aros
wnaeth Jim Knowles ac Arthur Todd,
a Ronnie Hughes, wrth glywed y niws,
a waeddodd 'Oh my God'.

Ta-ta 'te, Mrs Willdig,
Vincent Maitas a Jill Knight,
rhaid canu'n iach i Meurig bach
(ga' i botel Diamond White?)

Bu Mair yn aelod ffyddlon
dros ben o'r Pwyllgor Te;
fydd te dydd Llun byth yr un un,
pwy gawn ni yn ei lle?

Mor siriol ac mor hawddgar,
mor brydlon yn ei gwaith,
yn un mor glên â pharod wên,
a byth yn sgeifio chwaith.

Ma'i'n mynd i'r sector preifat
a'n gadael ni ar ôl,
yn gadael lle sy'n seithfed ne':
wel, dwi'm yn dallt at all.

A phwy fydd ei chyflogwyr?
Cyfalafwyr, siŵr i chi,
sydd wedi dwyn, o dan fy nhrwyn,
ein hoff gydweithiwr ni.

A dyma ninnau heddiw
yn gorfod deud ta-ta,
ond Mair, hen ffrind, cyn iti fynd,
cym focsaid o dda-da.

Y Gyfrinach

Does 'na neb yn dallt y gyfrinach –
mae'n ddirgelwch i bawb erbyn hyn –
sef sut ydw i yn cael marciau mor dda
am sgwennu rhyw rybish fel hyn?

'Tae o 'mond wedi digwydd ryw unwaith
mi fedrech ei alw yn ffliwc,
ond ma' cael naw yn ddi-ffael am ryw stwff digon gwael
yn gwneud i rai ofyn 'Pam fod Gerallt mor hael?
a be sy' gen Løvgreen sy' ddim gennon ni,
fel ei fod o'n cael deg am gân sy'n werth tri?'

Wel, sori, ond fedra'i'm datgelu
pam fod Gerallt mor dynn dan fy mawd –
mae hynny'n gyfrinach deuluol
rhyngof fi, fy mam a fy mrawd.

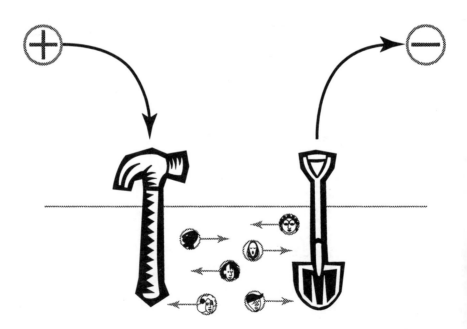

Gwell Hwyr na Hwyrach

Ydi hwyr yn well na hwyrach?
Wel, mae drwg yn well na gwaeth, ac mae bod yn ddi-
chwaeth yn well, mae'n siŵr,
na bod yn *fwy* di-chwaeth.

Ond a chymryd y cwestiwn i'w derfyn,
ydi cynnar ddim cystal â chynt?
ac os torrwch eich braich, ydi'n well dod yn hwyr
na throi fyny yn hwyrach mewn sblint?

Cofiwch chi, dwi'm yn deud 'mod i wastad yn hwyr,
y cwbwl dwi'n ddeud ydi hwyrach
fy mod i – ond hei, ydi hynny yn waeth
neu yn well? Dwi 'di drysu yn llwyrach.

A phwy sydd i ddeud fod hwyr yn well?
Nid y gwerthwr llythrennau – fe ŵyr
fod 'na arian i'w gael am yr 'a' a'r 'ch'
a bod hwyrach yn well na hwyr.

Syrthio

Dwi'n 'i neud o mewn hindda a glaw –
gen i fwrdd fibre-glass, gyda llaw –
    dwi'n teimlo mor llon
    wrth reidio y don . . .
O, *syrthio* 'di'r testun . . . Sblash – aw.

CANEUON
Radio

Does Dim Busnes fel Sioe Fusnes
('There's no business . . .')

Does dim busnes fel sioe fusnes,
Fel actio ar y sgrîn,
Weithiau byddaf yn gymeriad rhadlon,
Ar adegau eraill fydda i'n flin,
Yn y dre bydd pobol yn fy nabod,
Gan fynnu gofyn, 'Where have you been?'

Does dim busnes fel sioe fusnes,
Cael bod yn un o'r sêr,
Erbyn hyn mi ydw i'n berson enwog iawn,
A chewch weld fy nawn
Ar ripîts drwy'r pnawn,
Ac os daw'r dyn treth i drio dwyn fy mhres,
O 'mhunnoedd cheith o ddim un;
Mi bryna' i ynys yn Llŷn.

Does dim busnes fel sioe fusnes,
Dramâ neu gomedî;
Ar y set mae bob un yn cyd-dynnu,
Gwnawn ein gorau i'ch difyrru chi,
Os 'di'r ratings wedi mynd i fyny
Rhaid bod pawb yn fy licio i.

Does dim busnes fel sioe fusnes
Am wneud pobol yn llon,
Sefyll o flaen camera sy'n codi blys
I wenu ar frys neu i dynnu 'nghrys;
Rydw i'n chdi a chditha efo Ieuan Rhys,
Bill Roach a'r hen Elton John,
'Na alwedigaeth yw hon.

Y Beirdd

Wel mae'r beirdd ym mhob man,
yn y post ac yn y llan,
yn Sir Fôn ac yn Japan,
yn yr ysgol ac yn y siop,
hyd yn oed mewn grwpiau pop,
Awopbobalwbopalambambwm.

Mi all pawb fod yn fardd,
yn y tŷ neu yn yr ardd,
does dim rhaid bod yn hardd.
Gallwch ennill gwobr Nobel
am sgwennu gwirioneddau fel
Awopbobalwbopalambambwm.

Mae'r beirdd yn cŵl
pan maen nhw'n darllen eu barddoniaeth i'r meic,
Mae'r beirdd yn gry',
mae 'na rai sy' hyd yn oed yn mynd ar streic.

Yng Ngwlad y Gân, dan ni'm ar ôl
ym myd y beirdd roc a rôl,
er gwaetha ambell lein sy' ddim yn odli.
Os 'di Bob Dylan yn fardd o fri
meddyliwch am Bob Delyn ni.
Awopbobalwbopalambambwm.

Mae'n Rhaid Gwneud Pob Peth
Drwy'r Iaith Saesneg
('Daw dydd y bydd mawr y rhai bychain' – Huw Jones)

Dwi'n canu mewn grŵp pop o Gymru
ac ers talwm, Cymraeg oedd ein hiaith,
doedd ganddon ni'm lot o ganeuon, mae'n wir,
na lot o gefnogwyr ychwaith,
ond wedyn fe droesom i'r Saesneg,
erbyn hyn mae y byd wrth ein traed,
cawn enwogrwydd a bri ac arian mawr
'mond 'ni beidio â chanu'n Gymraeg.

Mae'n rhaid gwneud pob peth drwy'r iaith Saesneg,
Cymraeg sy'n ein dal ni yn ôl,
a does 'na ddim lle i ieithoedd bychain,
'chos Saesneg 'di iaith roc 'n' rôl.

Mae pawb 'di mynd 'nôl i'r chwedegau,
dyddiau cariad a trips LSD,
Oasis a Blur ydi'r Beatles a'r Kinks
ond yng Nghymru, pwy sy' gennon ni?
Dal i ganu mae'r hen Ddafydd Iwan,
mae o Yma o Hyd fwy neu lai,
felly'r oll dan ni angen 'di cymbac neu ddau
gan Huw Jones a Hogiau Llandygái.

Ond mae'n rhaid gwneud pob peth drwy'r iaith Saesneg,
Cymraeg sy'n ein dal ni yn ôl,
a does 'na ddim lle i ieithoedd bychain,
'chos Saesneg 'di iaith roc 'n' rôl.

Cyn bo hir fe ddaw cystadleuaeth
Cân i Ewrop ar sgrîn y TV
a chan dderbyn sefyllfa ieithyddol y byd
cân Saesneg fydd yno drosom ni,
ond mi glywais o bell gân Lydaweg,
un hyfryd a pheraidd ei chainc,
a phan ddaw'r Eurovision ar y sgrîn
gawn ni Geltiaid gyd-floeddio dros Ffrainc.

Ond mae'n rhaid gwneud pob peth drwy'r iaith Saesneg,
Mae'n rhaid troi y clociau yn ôl,
i adeg cyn y Tebot a Jarman,
'chos Saesneg 'di iaith roc 'n' rôl.

Yr Amgueddfa

Dwi'm isio mynd i'r Amgueddfa
i weld lot o bethe hen;
hen bethe sy'n mynd ar fy nerfa'
ac yn fy mrifo yn fy mrên.
'Di deinosoriaid ddim yn ddifyr,
er bod nhw'n meddwl bod nhw yn;
gweld esgyrn hen o Oes y Cerrig –
'That's not my idea of fun.'

Dwi'm isio mynd lawr i Sain Ffagan
lle mae'r holl dai o'r oes o'r blaen;
roedd ganddynt bopeth oedd ei angen
heblaw am doilet efo tjaen.
Dwi'm isio mynd i'r amgueddfa
i sbio ar lwch y dyddiau fu
mae gen i hen ddigon o hwnnw
ar fy silff lyfre yn y tŷ.

Maen nhw 'di cael cyfrifiaduron
ac maen nhw hyd'noed ar y We,
a hynny i drio bod yn gyfoes,
ond 'den nhw'n llwyddo? – na, no we.
Dwi'm isio mynd i'r amgueddfa,
'sgen i'm diddordeb yn y sioe;
dwi'm isio mynd i'r amgueddfa,
ma' heddiw'n gymaint gwell na ddoe.

Pry ar y Wal

Pan wyt ti'n gorwedd yn y sbyty
yn teimlo'n wirioneddol sâl
y peth ola' wyt ti isio
'di cael dy ffilmio gen ryw bry ar y wal.
Pan ti ar dy ffordd i'r theatr
i gael keyhole surgery
a'r criw ffilmio yn dy ddilyn
paid anghofio trafod ffi.

Wrth ymlwybro o dy wely
yn dy ddresing gown pinc
cofia'r miloedd sy'n dy wylio,
cofia wenu a rhoi winc.
Ac wrth ddiosg dy byjamas
i gael pigiad yn dy din
y peth mwya' sy'n dy boeni
'di sut mae'n edrych ar y sgrîn.

A phan ddoi di yn ôl adre
yn holliach ar ôl hyn i gyd,
mi fydd pawb yn dy adnabod
wrth iti gerdded lawr y stryd.
A phan ei di i'r dre i siopa
i weld pa ddillad sy' mewn steil
mi fydd pawb yn pwyntio atat
– y ferch ga'th drafferth efo'i pheils.

Dyddiau Ysgol

('Baggy Trousers' – Madness)

Gorfod gwisgo trowsus bach,
byth a beunydd mewn rhyw strach,
cario satchel ar dy gefn,
methu cofio twelf teims sefn,
yn gwasanaeth, chware'r ffŵl,
trio'n galed i fod yn cŵl,
yn lle diodde gwersi Geog
mynd am fygyn yn y bog

Doedd o'm yn olreit,
bob amser cinio roedd 'na ffeit,
cansen ar dy law,
a baeddu blesyrs yn y baw,
llusgo wnâi'r prynhawn,
yng nghwmni athro boring iawn,
dyheu am fod yn rhydd
a chyfri'r oriau drwy bob dydd.

Gorfod gwisgo cap ar dy ben,
rhywun yn dwyn dy ffownten pen,
trio deud c'lwydde am dy oed,
ddim digon da i'r tîm pêl-droed,
athro gym yn hen ddiawl cas,
gneud 'ti isio dropio mas,
chips i ginio yn ddi-ffael,
diwedd bob tymor cael adroddiad gwael . . .

Rhieni'n deud bod o'n amser braf,
ond methu aros tan yr haf,
smocio roll-ups redi ryb,
watsio'r athrawon yn mynd i'r pyb,
slap pren mesur ar dy goes,
teimlo dy fod ti yn jêl am oes,
diodde efo wyneb plorod,
genod del ddim isio dy nabod . . .

Dwi'm yn Leicio Wiliam Shakespeare

('Dwi'm yn leicio' – Sobin)

Dwi'm yn leicio Wiliam Shakespeare,
dydio'n gneud dim byd i mi:
sgwennu pethe gwirion fel
'To be or not to be.'

O'n i'm yn leicio 'Julius Caesar',
naethon ni o i lefel O
'Et tu Brute', 'Yonder Cassius'
'Wherefor art thou Romeo . . . '

    Well gen i
    ddramâu Wil Sam
    ma' nhw yn Gymraeg
    a dwi'n dallt be ma' nhw am.

O'n i'm yn leicio 'Merchant of Venice',
'As You Like It', na 'Ham-let'
o'n i'm yn leicio 'Richard III'
na 'Romeo and Juliet'.

Be sy' mor dda am Wiliam Shakespeare?
Cha'th o byth Oscar am ei waith,
ddim fel Steven Spielberg
na Woody Allen chwaith.

    Well gen i
    ddramâu Wil Sam
    ma' nhw yn Gymraeg
    a dwi'n dallt be ma' nhw am.

Dwi Isio Ennill Lotri

('Dwi isio bod yn Sais' – Huw Jones)

Puntan fach bob wythnos, 'di hynny ddim yn lot
i dalu am siawns o dŷ mawr crand, Mercedes Benz a iot.
Ac er mwyn dyblu 'nghyfle, y sofren aeth yn ddwy;
os am fod yn filiwnydd mae'n rhaid gamblo dipyn mwy.

Dwi isio ennill Lotri, dwi isio ennill lot,
ac nid y fi 'di'r unig un sydd isio ennill lot.

Ond dydw i byth 'di ennill, mae'n rhaid 'mi godi'r stêcs,
rhoi'r gore i ryw lycsiyrîs fel cwrw a crîm cêcs,
ac erbyn hyn mae 'nghyflog yn diflannu cyn nos Sul,
i gyd wedi'i fuddsoddi mewn Loteri hôps mul.

Dwi isio ennill Lotri, dwi isio ennill lot,
ac er mwyn gwneud mi dynna' i fy sefings i gyd o'r pot.

'Di'r Sadwrn ddim yn ddigon, dwi bron â mynd o 'ngho,
a bellach ar nos Fercher mi ga' i drio'r Lotri 'to.
Dwi ddim yn ddyn cyfoethog, erbyn hyn does genna' i'm byd
ond dwi'n helpu'r celfyddydau gyda 'nghyfraniadau i gyd.

Ond dwi isio ennill Lotri, dwi isio ennill lot,
O deudwch chi, pryd ddaw 'nhro i i ennill y blwmin lot? (-ri)

Celfyddyd

Mi 'studiais i gelf yn yr ysgol,
gwaith cewri fel Augustus John,
meddyliais am drio'u hefelychu
ond doedd gen i ddim dawn, so doedd hynny not on,
ond wedyn mi welais y goleuni,
Damien Hirst a'i ddafad mewn tanc,
a byth ers hynny dwi'n gneud yn o lew,
dwi'n chwerthin yr holl ffordd i'r banc.

Mae 'ne bentwr o frics ar y patio,
mae o yne ers dau neu dri mis,
ac mae'r beirniaid celfyddydol yn heidio i'w weld
ac yn cynnig talu unrhyw bris
        (ac yn sôn amdana' i ar yr un gwynt â Matisse).
Mae 'ne ddraenog 'di marw'n y garej
ac ma' hwnnw'n werth rhyw hanner can mil,
os dewch chi acw efo'ch cerdyn credyd
dwi'n siŵr y gallwn ni wneud deal.

Mae fy mywyd i wedi'i weddnewid,
mae hyn yn well nag ennill y Lottery
dwi'n cael fy nghyfri yn artist go iawn
er imi fethu fy lefel O pottery
Ta-ta i'r hen dasgau o gwmpas y tŷ,
dwi byth yn tacluso yr ardd;
mae rhywun yn siŵr o gario'r llanast i ffwrdd
gan ddeud fod o'n waith beiddgar a hardd.

Bwyd

Dwi ddim 'di byta dim byd rŵan ers wsnose,
a chyn ichi ofyn – na, dwi ddim yn trio colli pwyse.
Mae wyau a menyn a halen a chaws i gyd yn wenwyn,
a wna' i ddim twtsied llefrith na iogyrt na llaeth enwyn.
'Sgen i 'mond esgyrn yn fy fest ar ôl
imi wrthod byta bwyd sy'n llawn colesterol.

Anthracs, listeria, food poisoning, salmonela,
daiarîa a diffyg traul,
hepateitis a gastro-entereitis,
mae o'n heintus – ma'r bwyd 'ma'n wael.

Ma'r drwg 'di bod yn y caws a phopeth arall ers blynyddoedd,
i fyta cig y dyddie hyn ti angen y ffydd sy'n symud mynyddoedd,
ma' hyd'noed ffrwythe a llysie erbyn heddiw'n llawn cemege,
ac mae rhywun yn rhywle'n chwydu bob eiliad yn ôl yr ystadege
Pa bleser sy' 'na mewn penlinio o flaen bog yn off-
rymu gweddillion rhyw hen meicrowêf strogynoff?

Yr unig beth i wneud os wyt ti isio bod yn berffaith saff
ydi peidio byta dim byd – rho fo i gyd i'r gath.
Wedyn gei di ddechre slimio o ddifri a
bydd pwsi'n diodde o'r holl facteria.

Gwyn a'i Fyd

('Mawredd Mawr' – Y Tebot Piws – ychydig o lên-ladrad)

Gwyn a'i fyd yn trafaelio o hyd
i weld Cymry sy' 'di mynd odd' ar y rêls
Gwyn a'i fyd, mae'r Cymry yma o hyd,
ond ddim o angenrheidrwydd yma'n Wêls.

Mae 'na Gymry yn Japan ac mae 'na Gymry'n Pacistan
ac mae 'na Gymry sydd yn byw ym Mheriw,
Mae 'na Gymry sydd yn hoffi byta caws ac yfed coffi,
mae 'na rai sy' hyd yn oed yn deud Jiw Jiw.
Mae 'na rai sy'n torri beddi, mae 'na rai sy'n cynganeddu
mae 'na rai sy'n eiriadurwyr yn Quebec
Ond y dyn sy'n siafio gwsberis a'u gwerthu nhw fel grêps
wel y fo geith sbot ar Sianel Pedwar Ec.

Gwyn a'i fyd yn trafaelio o hyd
i weld Cymry sy' 'di mynd odd' ar y rêls
Gwyn a'i fyd, mae'r Cymry yma o hyd,
ond ddim o angenrheidrwydd yma'n Wêls.

Mae 'na Gymry ym Majorca, mae 'na Gymry yn New York a
mae 'na Gymry yn Ngorny Karabak,
yn Fenis, Venezuela, Ffrainc, yr Almaen ac Ostrelia
mae 'na rywun yn siŵr o fod 'di hel ei bac.
Mae 'na rai sy'n arlywyddion, mae 'na rai sy'n seiri rhyddion,
mae 'na rai sy'n hel newyddion ar y paith,
ond mae 'na un peth sy'n gyffredin am y Cymry 'ma i gyd –
y nhw 'di'r rhai sy'n cadw Gwyn mewn gwaith.

Gwyn a'i fyd yn trafaelio o hyd
i weld Cymry sy' 'di mynd odd' ar y rêls
Gwyn a'i fyd, mae'r Cymry yma o hyd,
ond ddim o angenrheidrwydd yma'n Wêls.

Dwi 'di cael llond bol ar Gymru a dwi wedi penderfynu
gadael cartref er mwyn chwilio am fywyd gwell.
Mi ffeindia' i ynys dawel ynghanol y Môr Tawel,
ynys fechan ddinod sydd yn ddigon pell.
Mi fydda i mewn paradwys, ga' i lonydd yno i orffwys
heb neb yn tynnu'n groes na hollti blew,
ond pwy sy'n dŵad draw efo meicroffon 'n ei law
a chriw cam'ra ar ei ôl? – O na, Gwyn Llew!!!!

Gwyn a'i fyd yn trafaelio o hyd
i weld Cymry sy' 'di mynd odd' ar y rêls
Gwyn a'i fyd, mae'r Cymry yma o hyd,
ond ddim o angenrheidrwydd yma'n Wêls.

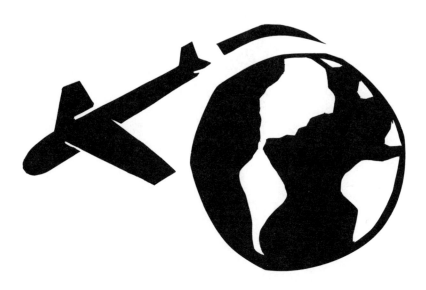

Patagonia

('House of the Rising Sun' – The Animals)

Y mae 'na wlad ymhell i ffwrdd
yr ochor draw i'r môr,
lle mae'r cowboi Cymraeg ar ei geffyl yn mynd
bob nos Sul i ganu'n y côr.

Mae o'n smocio ac yn yfed maté
ac yn strymio gitâr wrth ei waith
ac yn canu am angau, marwolaeth a brad
wrth grwydro hyd foelydd y paith.

Mae bandit yn llechu'n yr Andes,
un milain iawn ar ei hynt,
mi laddai dy nain am beseta neu ddwy
ac mae'n debyg iawn iawn i Clint.

Ond mae'r Gaucho wedi ei weled
a'i wahodd o i ganu'n y côr;
erbyn hyn y mae'r bandit yn dop-tenor o fri
ac mae'r dyrfa yn gweiddi 'encôr'.

Aeth taid fy nhaid ar y Mimosa
i chwilio am fywyd gwell,
ac yno mae'r teulu yn dygnu byw
a Chymru a'r heniaith mor bell.

Batman

Dydi o ddim yn foi rhy glyfar, deud y gwir mae braidd yn *dim*,
be arall alla' i ddeud am foi sy'n gwisgo fel ystlum?
Dwi'n ei gofio efo Robin ar y bocs pan o'n i'n iau,
a phawb yn meddwl tybed be oedd y berthynas rhwng y ddau.
Ond er bod ei drons o dros ei deits, oedd o'n well na Superman
ac yn well na Dr Who – ei enw oedd Batman.

Roedd o'n gwibio mas o'r Batcave pan oedd trwbwl mawr gerllaw
wrth lyw y Batmobile, efo'i Batphone yn ei law.
Roedd y Batcopter yn handi i ddal y dynion drwg
a phan oedd isio pi-pi oedd o'n mynd i'r Bat-lw.
Wrth glirio drwgweithredwyr a dihirod off y stryd
roedd y dyn da yn y mwgwd yn Batrwm inni i gyd.

'Di ystlumod ddim yn greaduriaid hoffus, mwya'r piti,
ond mae'r ystlum yma'n diogelu strydoedd Gotham City;
Mae'r trigolion ar eu glinie, maen nhw'n erfyn arno: 'Plis,
tyrd i'n hachub ni rhag dichell Poison Ivy a Mr Freeze.'
Ac mae'r ddau ddyn mewn mygyde efo'u trons tu fas i'w teits
yn siŵr o ddod i'r fei, so bydd popeth yn olreit.

Lloyd George
('Blue Moon')

Lloyd George – bu'n brif weinidog y wlad
doedd o'm yn nabod fy nhad
a doedd 'nhad ddim yn nabod o . . .

Lloyd George – mi oedd o'n dipyn o gês
sefydlodd wladwriaeth les
o dyna foi oedd Lloyd George.

Mae 'na rai am godi cerflun yn Parliament Square
i gofio'r Rhyddfrydwr mawr am byth,
Lle geith o edrych lawr ar Major a Blair
a lle geith o fod yn fwy na Cyril Smith.

Lloyd George – mi oedd o'n ddyn am sgandal
i'r Gwyddel roedd o'n fandal
ond na'th o'm saethu 'run ci

Lloyd George – mi oedd o'n ddyn reit grŵfi
dwi'n edrych 'mlaen at y mŵfi
pan ddaw o ar y TV.

Dringo Mynyddoedd
('Climb Every Mountain')

Dringo mynyddoedd – mae'n brofiad braf,
dringo yn y gaeaf, dringo yn yr haf.

Dringo mynyddoedd – be fedra' i ddeud?
Iawn, os nad oes gen ti ddim byd gwell i neud.

Cei gysgu mewn tent ar ryw silff yn y graig
a diflannu am ddyddiau a dychryn y wraig.

Dringo mynyddoedd – rhaid bod heb frên
i fynd i fyny'r Wyddfa heb fynd ar y trên.

Dringo mynyddoedd – mae'n berffaith saff,
hynny yw, os nad oes gwendid yn y rhaff.

Dringo mynyddoedd – 'mots am eu seis,
ar y copa gei di olygfeydd reit neis.

Y Sioe Gŵn

('How much is that doggy in the window?')

Mi glywais am glefyd gwartheg gwallgo,
mae'r ffermwyr yn uchel eu sŵn,
ond fu 'na ddim trafod, hyd y gwn i
am glefyd 'run fath ymhlith cŵn.

I nabod y cŵn sy' ddim llawn llathen
fe gafodd bob un ruban glas:
os gwelwch un, peidiwch â mynd ato,
mi allai yn hawdd droi yn gas.

Rhaid gwylio y Dobermann Pinscher,
mae hwnnw yn gr'adur reit od,
yn filain a chas, ond weithiau'n fabi,
mae rhai yn ei alw yn Rod.

Roedd pwdl bach digri yma unwaith,
diflannu wnaeth hwnnw o'n plith:
mi chwarddon ni lawer ar ei gastiau,
oes, mae yma hiraeth 'rôl Keith.

'Di cathod a chŵn ddim i fod yn ffrindiau,
ond sbiwch ein corgi bach ni,
mae hwnnw'n gwirioni efo cathod,
mae Elwyn yn sâl, siŵr i chi.

Un ffyddlon i'w feistr fu'r hen gi defaid
er 'fod o'n rhy hen erbyn hyn,
ei roi o i gysgu fyddai orau,
ond pwy allai ladd yr hen Wyn?

Mae'r Afghan yn gwneud i bobol chwerthin;
ci gwallgo na welwyd mo'i fath,
mwy lloerig na'r lleill i gyd 'fo'i gilydd,
be sy' i ddisgwyl gan gi ag enw cath?

Calon Lân

Mi a godais heddiw'n brydlon
Roeddwn i'n ddigalon iawn
Rhaid bod rhywun 'di dwyn fy nghalon
Yn y nos neu ddoe'r prynhawn.

Calon newydd dan fy 'sennau
Dyna raid 'mi gael ar frys
Calon goch yn llawn gwythiennau
Un sy'n curo dan fy nghrys.

Ar y bws es draw i Fangor
Rhuthrais 'mewn i'r siop ail law
Ond doedd dim calonnau'n fan'no
Dim ond dwylo ar bob llaw.

Calon newydd, rhaid 'mi gael un
Mae 'na dwll o dan fy mron
Rhaid cael calon yn reit sydyn
Fedra' i'm byw os na cha' i hon.

Es yn syth i siop y cigydd
Gweld organau o bob llun –
Arennau, llygaid, iau a 'mennydd,
Ond am g'lonnau, na, dim un.

Calon newydd yn fy mynwes
Dyna s'gen i angen nawr
Calon lân a chalon gynnes
Calon wresog, calon fawr.

Doedd dim calon chwaith yn Rushworths
'mhlith organau bach a mawr,
Ac er mawr fy siom, roedd Woolworths
Wedi cau ers hanner awr.

Calon newydd dan fy nwyfron
i gymryd lle'r un gollais i
Felly, os oes gennyt galon
Wnei di plis ei rhoi i mi.

Rhywle yn Ewrop

('Rhywle ym Moscow' – yr Anhrefn ar daith)

Rhywle yn Ewrop
dan ni'n chwifio baner Cymru,
rhywle yn Ewrop
dan ni'n cael ein gwerthfawrogi,
ma' rhywun yn gwrando
ac yn prynu ein recordia,
ma' rhywun yn dawnsio
i lysgenhadon gorau Gwalia.

Rhywle yn 'r Almaen
dan ni braidd yn amhoblogaidd;
be ydi'r rheswm?
ai'n syniadau radicalaidd?
ma' nhw'n neo-nazis
ddim yn hoffi 'bwrw cwrw'
neu ella eu bod nhw
jyst 'di cael llond bol o'n twrw . . .

Plis bobol Cymru,
geith yr Anhrefn ddod 'nôl adre?
nawn ni ddim canu,
dan ni jyst isio dod adre
o rywle yn Ewrop . . .

Genod Rhyl

('California Girls' – The Beach Boys)

Ma' 'na genod sydd yn blaen ac ma' 'na genod sydd yn ddel
ma' 'na genod neis fatha siwgwr a sbeis, ac ma' 'na genod
sy'n gneud smel
ma' 'na genod sydd yn gwisgo sgertie fyny at eu tin
ma' 'na genod ar 'naw sy'n dy drin di fel baw, ac ma' 'na genod
sydd yn cîn

O pam na chân' nhw i gyd fod yn genod Rhyl?

Ma' 'na genod glân a genod budur a genod da a drwg,
ma' 'na ambell ddol yn yfed alcohol, ma' 'na genod
sy'n smocio mwg,
ma' 'na genod sy'n troi pennau wrth 'nhw gerdded lawr y stryd,
ma' 'na genod hapus a genod siapus, dwi'n eu caru nhw i gyd.

O pam na chân' nhw i gyd fod yn genod Rhyl?

Ma' genod Sblott yn denau ac ma' genod Môn yn dew,
ma' genod Tan'rallt efo lot o wallt, a genod Bangor efo lot o flew,
ma' genod o Gaerfyrddin yn rhai da os ti isio thrill
'swn i'n licio tshans efo genod Cross Hands,
ond does 'na neb i guro genod Rhyl.

O pam na chân' nhw i gyd fod yn genod Rhyl?

Lawr yn y Ddinas (Llundain)

(Geraint Jarman)

Es am dro i Lun-den
chwilio am Dirty Den
ac ella gweld Big Ben

weles i Grant a Phil
yn cael trafferth 'fo'r *Bill*,
yn fan hyn ma' nhw'n byw

W – lawr yn y ddinas, w – y ddinas fawr ddrwg.

Es i am bryd o fwyd
efo Hafina Clwyd
a'r A.S., Elfyn Llwyd

gwelais Ifor ap Glyn
'be wyt ti'n neud fan hyn?'
gofynnais i iddo'n syn

W – lawr yn y ddinas, w – y ddinas fawr ddrwg.

Es i weld fy ffrind Sam
ma' 'di bod ar Ram Jam,
mae o'n byw'n Tottenham

euthom i weld y gêm
rhwng Wrecsam a West êm
oedd gen yr Hammers ddim clem

W – lawr yn y ddinas, w – y ddinas fawr ddrwg.

Mae'r West End yn llawn sêr,
pobol fel Tony Blair,
Stifyn Parry a Cher

ond mewn bocsys bach blêr
ma' rhai yn oer at eu mêr
yn cysgu dan y sêr

W – lawr yn y ddinas, w – y ddinas fawr ddrwg.

Yn Tu Chwith

('Ond mae hi'n ddel')

'Di byth yn cwcio sgons na bara brith,
ma'i'n torri'i gwallt fel blaenwr rygbi Neath,
paid galw hi'n sgwennwr nac yn sgwenwraig chwaith,
o na, mae hi'n sgwennydd, ac mi weli di'i gwaith
yn Tu Chwith.

Ma'i'n perthyn i mi, a deud y gwir mae hi'n nith,
ac ma'i'n gwbod popeth am dime ffwtbol,
                              hyd yn oed Cowdenbeath;
'di ddim yn meindio gneud gelynion
wrth sgwennu pethe cas am ddynion
yn Tu Chwith.

Ond paid â deud ei bod hi'n boring nac yn boen,
os ydi'n llwyddo i godi gwrychyn Gwilym Owen
wel mae hi'n berffaith iawn i mi.

Welith neb hi'n crio pan eith pethe o chwith
ac mae hi wedi cael helyntion efo'r polîth,
'di ddim yn meindio be ma'i'n neud
ac ma'i'n hoff iawn o gael deud ei deud
yn Tu Chwith.

Cân Cantona

('Je ne regrette rien' – Edith Piaf)

Non, dim yw dim,
non, dwi'm yn difaru dim:
dim y gic, na'r right hook
i ryw ddiawl oedd yn gwthio ei lwc.
Non, dim yw dim,
non, dwi'm yn difaru dim:
os rhaid mynd 'flaen y fainc
stwffio chi, a' i adre i Ffrainc.

Mae Old Trafford yn saff, does 'na ddim cwffio nawr
ers i'r hen Stretford End gael ei dynnu i lawr,
ond mae deiseb ar droed, gan y criw tu ôl i'r gôl,
er diogelwch y dorf, rhowch y ffensys yn ôl.

Non, dim yw dim,
non, dwi'm yn difaru dim:
os pêl-droed geith bai-bai,
mi wna' i farc yn y sgwâr bocsio Thai.
Non, dim yw dim,
non, dwi'm yn difaru dim:
rhaid cael hoe, ie myn Duw,
be 'di'r ots os mynd lawr neith Man U?

Pan ddywedais fy mod yn ffan mawr o Rimbaud
ce's fy ngham-ddallt yn llwyr gan y cyfryngau, do.
Nid 'r athronydd a'r bardd oedd gen i yn y bôn,
ond y Rambo a grewyd gan Sylvester Stalôn.

Cân i Mici Tomos

(ar ddod allan o'r carchar – 'Bod yn Rhydd' – D.I.)

Mi fu mewn lle reit stici
'rôl pasio tennars dici
ond rŵan mae gan Mici'i draed yn rhydd,
traed yn rhydd, traed yn rhydd,
mae Mici Tomos wedi dod yn rhydd.

Y dewin ar gae ffwtbol,
mi dorrodd bob un rheol
ond mae o'n arwr lleol ac mae'n rhydd,
mae o'n rhydd, mae o'n rhydd,
mae'r arwr lleol wedi dod yn rhydd.

Mi ganwn gân 'I mewn i'r gôl'
mi ddawnsiwn am bod Mici'n ôl,
mor dda fydd gweled Nodi on the ball
mi ganwn am bod Mici'n ôl.

Mi gafodd o sgriwdreifar,
wel do, mewn man go dendar
a hynny wnaeth ein harwr braidd yn brudd
ond mae'n rhydd, mae o'n rhydd,
mae Mici Tomos wedi dod yn rhydd.

Mi driodd ddod 'ma heno,
ond be sydd ar ei ben o?
mi dalodd efo papur pumpunt ffug,
mae o'n rhydd, mae o'n rhydd,
mae Mici Tomos wedi dod yn rhydd.

Mi ganwn gân 'I mewn i'r gôl'
mi ddawnsiwn am bod Mici'n ôl,
mae'r tyllau wedi gwella yn ei ben ôl
mi ganwn am bod Mici'n ôl.

Ewro '96

('Croeso '69' – D.I.)

Mae'r gêm 'di dwad adre,
am Ewro '96,
mae'r teulu i gyd o flaen y bocs
'blaw Nain, sy' yn lle chwech,
mae'r anthems wedi'u canu
a'r reff 'di chwythu'i chwib,
mae Keegan efo ITV
ond Gullit efo'r Bîb.

    Ewro '96, Ewro '96, Ewro '96,
    Mae Jimmy Hill yn 90, yn meddwl fod o'n 60,
    a dannedd Trevor Brooking mewn mỳg West Ham.

Mae Ferguson a Keegan
yn ffrindie erbyn hyn
er gwaetha bod yr Alban
wedi colli i'r crysau gwyn;
John Motson yn ei elfen
yn rwdlan 'mlaen yn frwd,
a Des ac Alan Hansen
mewn cariad efo Ruud.

    Ewro '96, Ewro '96, Ewro '96 . . .

Mae'r Eidal 'di mynd adre
a'n gadael ni yn drist.
A ro'n nhw'r sac i Sacchi,
neu domatos drwg at least?
Ffarweliwyd efo Hagi,
ar Stoichkov mae'n ta-ta,
ond ma' Sheringham a Shearer
a Gazza'n dal ym-a.

    Ewro '96, Ewro '96, Ewro '96 . . .

Ac os y daw hi i'r gwaetha,
ac England yn mynd mas,
mi dorrwn bob cysylltiad
efo'r Ewropeans cas,
gwrthodwn fwyta'u pasta,
eu wurst a'u haute cuisine
a dywedwn wrth UEFA
stwffio'u cwpan, mewn llais blin.

Gŵyl Cerdd Dant Caernarfon 1996
(ar gainc Llwyn Onn)

Dyma ŵyl y Laura Ashley,
gŵyl y ffrogiau blodau mân,
bob mis Tachwedd maen nhw'n heidio
i ryw sied i ganu'u cân.
Os na fedri ddiodde'r delyn,
os 'di'i sŵn hi'n gneud ti'n sic,
dyma'r amser iti ddianc
i wlad arall yn reit gwic.

Mae o'n ganu hollol boncyrs,
weithiau mae o'n swnio'n rong;
y delyn sydd yn dechrau gynta'n
canu hen diwn fel 'Llwyn Onn',
wedyn mae 'na rywun yn canu
cân wahanol ar ei ben,
ac mae'r ddau ar draws ei gilydd
yn draed moch nes daw'r amen.

Yng Nghaernarfon weekend yma
ma' cerdd dant yn hitio'r dre,
fydd 'na'm lle i swingio telyn
efo corau hyd y lle,
fydd hi'n bedlam fyny'n Barcud,
Maes yn llawn o Volvos crand,
dyma un maes lle cawn ganu
'Are you watching Engerland?'

'chos beth os ydi ein tîm ffwtbol
draw yn Holand yn cael cweir
a ninnau'n also-rans mewn snwcer,
rygbi, golff a rasio ceir?
Os wyt tithau wedi blino
ar weld Cymru'n colli o hyd,
wel o leia am ganu p'nillion
ni 'di'r gorau yn y byd.

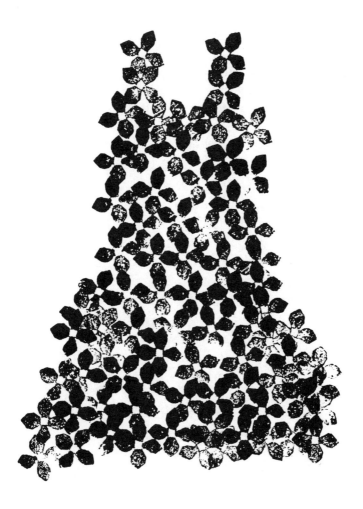

Cân i Angharad 'Y Dylluan Wen'

('Tylluanod' – Hogia'r Wyddfa)

Pan fyddai'r nos yn dywyll
a'r llenni heb eu cau
mi welwn sgrîn prosesydd geiriau'n
fflachio ar draws y bae;
Angharad oedd yn crafu'i phen
wrth sgwennu stori'r dylluan wen.

    Tw whit tw hŵ . . .

Mi sgwennodd fel peth gwirion,
bu wrthi ddydd a nos,
a Sara a Maredudd yn gorfod
byw ar grisps a tost,
a phan gâi ormod yn y tŷ
câi ymlacio ym mar Y Bachgen Du.

'Ti'n sgwennu – t'isio medal?'
oedd ymateb Ffred a Dygs,
ond jyst fel Diane Modahl
cha'th Angharad ddim cymorth drygs,
'mond ambell botel fach o Becks
a dal i sgwennu, sgwennu fel slecs.

Ond wedyn daeth y gwewyr
o gadw'r gyfrinach fawr;
caed llai o siarad gan Angharad
er syndod mawr i bawb,
a chlywodd neb hi'n deud 'hip hip
hwrê!' yn nosbarth beirdd y Ship.

A heddiw rwyt ti'n llenor
fel y gwyddaist all along;
bu rhai'n dy gymryd yn ysgafn
ond mi brofaist nhw yn rong:
Angharad, dwyt ti ddim yn wimp,
hwrê i Brif Lenor '95.

Beth am Babell Gwrw?

('Y Brawd Houdini' – Meic Stevens)

O, fe wena'r haul ar y Brifwyl, beth am botel o gwrw?
Wel, ma' gen i bres, ond dydwi'm nes,
                                    'chos dwi'm yn licio twrw.
Ma' croeso i bawb fynd 'mewn am beint
                            os 'dio'n hoff o fiwsic ffynci
ond erbyn hyn mi dwi'n rhy hen i Gorky's Zygotic Mynci.

Dwi'n crwydro'r maes o fore tan nos a 'mhen i bron â bystio.
Ma' raid nad yden ni'r bobol hŷn yn rhai y medrwch chi
                                                drystio.
Bar i griw'r maes pebyll, iawn, ond ddim i'r carafana –
rhaid i ni, yr over 40's, fodloni ar fariwana.

Mi sgwennodd rywun lyfr ryw dro'n deud
                            Ienctid ydi 'Mhechod;
wel, 'y mhechod i 'di bod yn hen,
                            'chos cha' i'm peint yn Steddfod.
Ma' 'ngheg i'n sych fel cesail arth 'rôl trampio'r Maes ers orie,
ond cwbwl ga' i i dorri syched 'di paned gan un o'r bancie.

Dwi am neud ple i Lys y Steddfod ar ran y pedwardege,
den ni'm yn gofyn gormod, wir, 'mond peint i lychu'n cege.
Os 'nawn ni addo bod yn dda, a pheidio codi twrw,
o Mr Elfed Roberts, plis gawn ninne babell gwrw?

Yr Orsedd

('Breuddwyd Roc a Rôl' – Edward H. Dafis)

Dw'isio bod yn fardd Wisg Werdd,
cael cydnabyddiaeth am fy ngherdd,
cerdded rownd y maes mewn drag,
cael fy holi gan Melfyn Bragg;
cael gwisgo ffrog laes heb neb yn tynnu 'nghoes
yng nghwmni mawrion y genedl, a Macs Boyce.

Dwi isio bod fel Robýn o Lŷn
a Robert Croft, Dafydd Iwan a'r Cwîn,
dwi isio bod yn aelod o Orsedd y Beirdd.

Be sy'n bod ar 'y nghredensials i?
Dwi'n canu ar radio ers '93.
Dw'isio bod yn rhan o'r ffair;
gwnewch le i mi ac Elin Mair.
Dwi'n gweld fy hun yn bictiwr mewn Gwisg Las
yn anwybyddu'r rhai sy'n deud 'mod i 'di gwerthu mas.

Dwi isio bod fel Robýn o Lŷn
a Gwilym Owen, Hywel Gwynfryn a'r Cwîn,
dwi isio bod yn aelod o Orsedd y Beirdd.

Dw'isio bod fel Ray Gravell
mewn Gwisg Wen efo cleddyf swel;
dim fel Orig na Wil Sam:
chân' nhw ddim joinio, 'sgwn i pam?
Yn y Wisg Wen mae dyn yn siŵr o fynd ymhell;
anghofiwch am y seiri rhyddion, mae'r rhein yn well.

Dwi isio bod fel Robýn o Lŷn
a Dai o'r Cwm, Jac o Jac a Wil a'r Cwîn,
dwi isio bod yn aelod o Orsedd y Beirdd.

Blŵs Eisteddfod yr Urdd

('Ballad of John and Yoko' – y Beatles)

Mae'r hogie wedi mynd draw i Werddon
i weld Cymru'n herio'r crysau gwyrdd,
ond dwi yma'n big, yn fan hyn yn Llanrug
yn diodde yn Eisteddfod yr Urdd

> Pam fod raid i bob Steddfod
> glashio efo gêm fawr?
> Ydi'r bobol sy'n trefnu
> yn fasocistiaid go iawn?

Pam na na'th 'na neb fy rhybuddio
cyn i mi briodi a chael plant
y byswn i cyn hir yn colli trips rygbi
i wrando ar bartïon cerdd dant?

> O, dwi'm isio bod yma,
> dwi isio bod dros y môr.
> Dwi'm isio gwrando beirniadaeth,
> 'mond isio gw'bod y sgôr.

Mae'n ffrindie i draw yn Nulyn mewn rhyw dafarn glyd,
yn yfed peintie Ginis fatha mêl;
maen nhw'n cael eu mwyniant, ond dwi'n cael diwylliant
ac mae'r unawd pres yn dechre mynd yn stêl . . .

Na'th rhywun ofyn 'swn i isio mynd i Anfield
i weld y ffwti: ddeudis i baswn wir,
o'n i'n edrych ymlaen, ond mae'r trip lawr y draen,
mi a'th y plant drwodd i Steddfod y Sir.

'Di'm yn hawdd bod yn rhiant
dosbarth canol Cymraeg;
mae gen i'r blŵs diwylliant,
dwi'n mynd am wersi Hebraeg.

Pobol y Cwm

('Cool for Cats' – Squeeze)

Roedd Reg yn ffigwr parchus yng Nghwmderi ddyddie fu
ond mi aeth off efo'i dwrna fo pan nad oedd Meg yn tŷ,
roedd hithe Meg 'di cael affêr, doedd honno ddim yn sant,
ond ddim cynddrwg â Hywel, oedd i fod i ddysgu plant,
wrth ddysgu Stacey oedd o'n methu cadw'i ddwylo bant,
ac wedyn aeth 'fo Nia, merch i Llew sy'n propio'r bar;
mae rhywun sydd yn rhywun yn cael hanci panci
ar 'Bobol y Cwm'.

'Di Llew ei hun 'm yn angel, mae o wedi cael ei fflings,
mi fynnodd o bod Gina'n dod i'w wely i destio'r sbrings,
mi gafodd honno fabi mewn rhyw amgylchiadau od,
doedd neb yn siŵr pwy oedd y tad, roedd hynny'n gwylltio Rod,
so mynd â'r babi o'no i wlad arall wnaeth y plod,
a Llew sy' erbyn hyn yn cyd-fyw'n hapus efo Rachel,
mae honno fel y lleill i gyd yn gyn-gariad i Hywel yn y Cwm.

Mi dalodd Ieuan Griffiths am 'i affêr 'fo Lisa ddel,
aeth Hazel fach ei wraig o'n syth i'r gwely 'fo Hyw-el,
mae Dyff 'di gadael Cath ac wedi setlo efo Jean,
mi fuodd efo Sharon gynt, roedd Marc dipyn bach yn flin
fod ei gariad o yn fwy na ffrindiau efo'i dad ei hun,
ond Steve ei chariad arall blannodd fom o dan ei char
a'i chwythu i ebargofiant, fel'na mae hi weithiau
ar 'Bobol y Cwm'.

Roedd teulu yn Leeds gan Brian ond bu'n mocha efo Gill,
mae Eileen wedi gadael Denz am John, sy'n fwy o thrill,
priododd Karen Derek yn lle Gavin, fflatmet Al
fu farw ar gyffuriau ar ôl mynd yn eitha sâl,
ro'th Fiona sws i Lisa, ac aeth Cymru fyny'r wal,
'di Reg am fynd 'fo Gina neu 'di hwnnw'n false alarm?
mi gawn ni'r ateb cyn bo hir ym mar y Deri Arms.

'Pobol y Cwm'.

Byw yn y Wlad

(i'w chanu ar unrhyw hen diwn Ce&Waidd)

Wel dyma be 'di uffern, byw reit yng nghanol 'wlad
heb neb i siarad efo nhw 'mond Mam a'r ci a 'nhad
ac mae hwnnw'n hollol fyddar, dydi o'n clywed dim byd
                                          dwi'n ddeud
so dwi'n iste o flaen y bocs drwy'r dydd – be arall sy' 'na i neud?

Does 'na'm point mentro allan, ma'r lle 'ma'n hollol farw
heblaw am ddefaid a mŵ-mŵs, a dwi ofn cwarfod tarw;
wel, mae 'na ffermwyr ifainc bob nos Iau, ond be 'di'r iws?
dydw i'm yn ffarmwr, a dwi'm isio colli 'Hill Street Blues'.

Mi ddeudis i wrth Dad mai grêt mistêc oedd gadael 'dre,
mi ddeudis ganwaith, ond y cwbwl ge's i'n ôl oedd 'Be? –
dwi'n methu clywed gair ti'n ddeud – siarada'n uwch
                                     'mwyn dyn!'
'Hy, be di'r pwynt?' me' fi, a dyma ni ym mhen draw Llŷn.

Ac yng nghanol dwys ddistawrwydd cefn gwlad
                                    dwi'n mynd yn wirion,
dwi'n siŵr 'mod i 'di clywed y ci yn hymian 'Iesu Tirion',
dwi'n teimlo weithiau 'mod i'n byw mewn drama gan Ionesco
a dwi'n cuddio hearing aid fy nhad yn y wardrob mewn bag
                                         Tesco.

Mae'r byw'n y wlad 'ma'n deud arna' i, jyst holwch fy rhieni,
wel, ddim Dad – 'di'r dyn geith sens o'i ben o ddim 'di'i eni,
ac mae Mam yn brysur efo'i gweu, ond gofynnwch chi i'r ci,
mi ddeudith o fod byw'n y wlad 'di 'ffeithio arna' i.

Byw yn y wlad, byw yn y wlad . . .

Canu Gwlad

(un arall i'w chanu ar unrhyw hen diwn 'C&W'aidd)

Mi ge's blentyndod unig, llawn tristwch a llawn poen,
trychineb erchyll oedd fy mywyd i;
doedd gen i ddim chwiorydd, mi redodd 'mrawd i ffwrdd,
fy unig ffrind 'n y byd oedd Shep fy nghi.
Mi dagodd Mam ar frechdan jips pan o'n i'n bedair oed
gan adael dim ond Shep a fi a 'nhad;
mi dorrodd 'nhad ei galon a bu farw 'mhen y mis,
ond wedyn darganfyddais ganu gwlad.

    Canu gwlad – does 'na'm byd tebyg dan y ne'
    Canu gwlad – am roi'r hen fyd 'ma yn ei le,
    Canu gwlad sy'n gwneud y tristwch yn werth chweil.
    Canu gwlad – pan fydda i isio crio'n groch
    Canu gwlad – a'r dagrau'n powlio lawr fy moch,
    Canu gwlad 'di'r ffordd i ddiodde mewn steil.

Trwy flynyddoedd fy llencyndod o'n i'n byw ar ben fy hun
heb neb ond Shep i rannu peth o 'mhoen,
ond pan o'n i yn ddeunaw, mi saethwyd f'unig ffrind,
roedd o wedi bod yn rhedeg ar ôl oen.
Ta waeth, mi ffeindiais gariad, a'i phriodi hi un haf,
ond bu hithau farw toc mewn damwain car
a 'ngadael i yn unig eto, heb gyfaill yn y byd
ond mae pob peth yn iawn pan godaf y gitâr.

    Canu gwlad . . .

A heno ar y rheilffordd, dwi'n gorwedd dan y lloer
yn disgwyl y daw'r trên o fewn yr awr . . .
ond mae hi'n dechre goleuo, a dal dim sein o drên,
mae'n debyg bod 'na delay ym Mhenmaen-mawr.
Dwi'n codi a mynd adre i 'mwthyn bach digysur
i agor potel arall o Jim Beam,
a dyma lle dwi'n eistedd yn y gegin wrth y radio,
'mond fi a John ac Alun a Doreen.

Canu gwlad – does 'na'm byd tebyg dan y ne'
Canu gwlad – am roi'r hen fyd 'ma yn ei le,
Canu gwlad sy'n gwneud y tristwch yn werth chweil.
Canu gwlad – pan fydda i isio crio'n groch
Canu gwlad – a'r dagrau'n powlio lawr fy moch,
Canu gwlad 'di'r ffordd i ddiodde mewn steil.

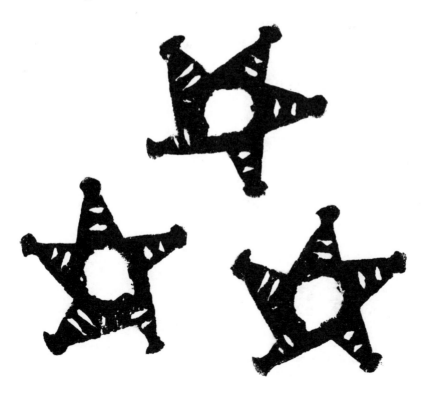

~~Crap 'di'r Bwrdd Iaith~~
Clap i'r Bwrdd Iaith
(wrth agor swyddfa newydd Cymdeithas yr Iaith yng Nghaernarfon)

Mae isio rhoi clap i'r Bwrdd Iaith
maen nhw'n trio eu gore glas
Mae isio rhoi clap i'r Bwrdd Iaith
a pheidio deud pethe cas
Mae isio rhoi clap i'r Bwrdd Iaith
pob un gŵr a gwraig
Mae isio rhoi clap i'r Bwrdd Iaith
maen nhw'n achub y Gymraeg.

Dim uchelgais bersonol
nac isio sylw chwaith:
yr unig beth ar eu meddwl nhw
ydi achub yr hen iaith.
Mae mewn dwylo diogel,
mae'r Arglwydd wrth y llyw
a dan ei lygad barcud o
mi fydd yr iaith yn fyw!

Mae isio rhoi clap i'r Bwrdd Iaith
put your hands together please
Mae isio rhoi clap i'r Bwrdd Iaith
and I don't mean a sexually transmitted disease
Mae isio rhoi clap i'r Bwrdd
maen nhw'n gwneud diwrnod da o waith
Mae isio rhoi clap i'r Bwrdd
a stopio poeni am yr iaith.

Gawn ni gyd fynd adre,
does 'na'm isio'r swyddfa hon
achos ma'r iaith yn hollol saff,
wel . . . bron
mae gennon ni ein grwpiau pop
mae gennon ni S4C
mae'n trendi bod yn Gymro
so be 'di'r ots pa iaith sy' ar y siec?

Mae isio rhoi clap i'r Bwrdd Iaith
maen nhw'n trio eu gorau glas
Mae isio rhoi clap i'r Bwrdd Iaith
a pheidio deud pethau cas
Dwi'm yn deud mai crap di'r Bwrdd Iaith
ond sa'n neis cael dodrefnyn mwy cry'
fel ystol, neu wardrob,
neu ystafell neu hyd yn oed tŷ.

Eliffant ar Stepen y Drws

Ma' 'ne eliffant ar stepen y drws,
a dwi'm yn licio fo o gwbwl
Ma' 'ne eliffant ar stepen y drws,
yn golygu trwbwl,
Ma' 'ne eliffant ar stepen y drws,
ma' jyst yn sefyll ac yn sbio
Ma' 'ne eliffant ar stepen y drws,
weithie ma'n gneud i fi grio.

Mae o'n llwyd ac mae o'n fawr,
mae jyst yn eistedd ar y llawr,
mae bron â 'ngneud i'n llysieu-wr
pam na neith o fynd i ffwr'?

Mae o'n hen, mae o yma erioed,
mae bron â sefyll ar 'y nhroed,
dan ni yn ei gysgod o o ddydd i ddydd,
o, pryd gawn ni fod yn rhydd?

Ma' 'ne eliffant ar stepen y drws,
dwi'n ei fwydo fo efo cabaij,
Ma' 'ne eliffant ar stepen y drws,
mae'n debyg iawn i Wyn Robaits,
Ma' 'ne eliffant ar stepen y drws,
ma' jyst yn sefyll ac yn sbio
Ma' 'ne eliffant ar stepen y drws,
weithie ma'n gneud i fi grio.

Does 'na'm dyfodol i fi a 'mhlant
'mond byw yng nghysgod yr eliffant,
ond dydi bywyd ddim i gyd yn wael,
dan ni 'di arfer peidio gweld yr haul.

Ma' 'ne eliffant ar stepen y drws.

CANEUON
Geraint Løvgreen a'r Enw Da

25 Oed

Dm   C   Bb   C
D   D   D   D
Mae'r stryd yn oer, wn i'm be sy'n bod

Dm   C   Bb C
D   D   D   D
Dwi'm yn teimlo mor ffit ag o'n i'n arfer bod

Dm   C   Bb   C
D   D   D   D
'Sna'm byd mor newydd ag oedd o o'r blaen

Dm   C   Bb   C
A   A   A   A
Mae sgwennu caneuon yn fwy o straen.

Bb   C   Dm   C
Eiste'n tŷ efo'r teledu ymlaen,

Bb   C   F   C
traed yn slipars o flaen y tân,

Bb   C Dm   C
gwneud y pŵls bob dydd Iau

Gm7   C
a breuddwydio am ennill miliwn neu ddau. Ond mae . . .

F   Bb   C   Bb   F   Bb   C   Bb
Blwyddyn arall drosodd a dwi'n teimlo'n hen

F   Bb   C   Bb Dm
Pump ar hugain oed, dwi'n dechre colli stêm.

Rhoi recordiau'r Tebot 'nôl yn y cês
Mynd allan am beint. Pam 'sa'r dafarn yn nes?
O leia mae'n ffrindie i 'run oed â fi
ond maen nhw i gyd 'di dewis aros yn tŷ.

Mae hyd yn oed Wrecsam wedi gweld dyddiau gwell
Mae'r cyfnod disglair yn ymddangos mor bell.
Mae Edward H. wedi marw o'r tir
a finne'n cofio Corwen, '73.

Eiste'n tŷ efo'r teledu ymlaen,
traed yn slipars o flaen y tân,
gwneud y pŵls bob dydd Iau
a breuddwydio am ennill miliwn neu ddau. Ond mae . . .
Blwyddyn arall drosodd a dwi'n teimlo'n hen
Pump ar hugain oed, dwi'n dechre colli stêm.

Enw Da

```
Dm    C     G              x4
F            Eb            F         Eb
```
Fedra' i ddim fforddio prynu car,
```
F            Eb        Eb            Eb
```
'sgen i'm pres i wario yn y bar.
```
        Eb            Bbm7          Eb          Bbm7
```
Mae pob pâr o sgidie sy' gen i'n gollwng dŵr
```
Eb                  Bbm7          Eb          Bbm7
```
a lle mae'r pryd nesa'n dod dwi ddim yn siŵr.
```
        Db              F
```
Does gen i ddim byd
```
        Db          F
```
o bleserau'r byd
```
        Db              F
```
mae 'mhocedi'n wag
```
            Bb    Ab    Gb
```
ond ma'
```
Ab    Bb    Ab    Gb    Ab
```
gen i'n enw da.
```
Bb    Ab    Gb
```
Ma'
```
Ab    F7    F7    F7    F7
```
gen i'n enw da.

Fedra'i'm fforddio presante drud i ti,
ti isio modrwy, wel chei di 'run gen i.
Os wyt ti isio mynd i'r Stables i gael bwyd
neu gymysgu efo'r crach yn Theatr Clwyd
        waeth iti 'ngadael i
        'sgen i'm byd i ti
        mae 'mhocedi'n wag
        ond ma'
        gen i'n enw da.

Pnawn Dydd Sadwrn

```
Dm       Bbmaj7 G9            Dm    Bbmaj7G9
```
Wsnos arall drosodd yn y gwaith,

```
Dm       Bbmaj7 G9            Dm    Bbmaj7G9
```
newid crys ac allan erbyn saith,

```
C    G    F    G         C    G    F    G
C    C    C    C         C    C    C    C
```
nos Wener arall ym Mhlas Coch,

```
Dm                    G9            C           Am7
```
cyrraedd adre'n methu clywed dim byd, tua dau o'r gloch,

ond . . .


```
Bb          C            Am        Bb
```
Pnawn dydd Sadwrn does 'na ddim byd i'w wneud

```
Bb          C    Am
```
'mond peint a dominôs.

```
Bb          C            Am        Bb
```
Pnawn dydd Sadwrn does 'na ddim byd i'w wneud

```
Bb          C    Am
```
'mond witsied am y nos.

Dwi'm yn licio yfed yn y pnawn,
dyna pam mae 'ngwydyr i yn llawn
Beryg mynd yn wirion ar ôl tri,
prynu potel win neu ddwy a chael parti'n y tŷ.

O'r Black Boy i'r Anglesey i'r Crown
ar nos Sadwrn maen nhw i gyd yn llawn,
mae'r hogie'n canu yn y dre
cyrraedd adre pnawn dydd Sul, erbyn amser te.

Pnawn dydd Sadwrn does 'na ddim byd i'w wneud
'mond peint a dominôs.
Pnawn dydd Sadwrn does 'na ddim byd i'w wneud
'mond witsied am y nos.

Jim Beam

```
    G                A7              C              Bm
O'n i yn byw yn Rhos ac roedd hi'n byw yn Rhiwabon,
D    G             A7           C              D
efo'n gilydd bron bob nos, o'n ni'n dau yn hen gariadon
     Em                      A7              C        Bm
ar ôl gorffen gwaith am chwech yn ffatri Skol yn y dre,
         Em            A7          C          Bm
a 'rôl i hithe ddod o'r ysgol 'ne, a gorffen ei the,
     D       G              A7
fydden ni'n dau yn mynd i'r pictiwrs
                        C              D          Em   A7  C
                 neu i sipian shandis bach yn y Gate
    G            A7
cyn dal y bỳs deg adre
                      C            D        Em      A7     C
          a chael closio i fyny'n dynn ar y sêt.
```

Pan ddoth amser arholiade mi fu raid 'ddi weithio'n galed,
aros mewn bob nos yn 'studio i gael mynd i ffwrdd i'r coleg;
mi a'th hi 'rôl yr ha' am fywyd newydd Caerdydd
a 'ngadael i yn safio'r punnoedd tra oedd hi'n byw yn rhydd
ond pan ddoth 'nôl i Riwabon cyn y Pasg
                              oedd hi mewn uffern o stad,
'chos oedd 'ne fabi yn ei bolyn hi
                         a wydde hi ddim pwy oedd y tad.

```
Em                      A7    C    G
Erbyn hynny o'n i 'di casglu celc go dda
Em                          A7        C        D
i dalu am ddoctor, ond mynnodd hi ddeud na.
```

Ac erbyn hyn mae hi a'r babi'n byw mewn bedsitter yn Poncie,
a dw inne'n byw a bod yn y Cross Foxes efo'r hogie,
o'n i'n methu maddau iddi am roi'i chariad mor rhad
a do'n i ddim yn gweld y'n hun yn llwyddo i actio y tad,
er bod 'na lwmp yn dod i 'ngwddw
                    pan dwi'n gweld hi a'r peth bach ar ei glin,
ac felly heno mae fy nghysur i yn nofio yn y botel Jim Beam.

Pan Mae'r Haul yn Codi

D   B♭   C   F   D   B♭   C   A
Maen nhw'n hwyr bob nos yn mynd i'w gwlâu

D   B♭ C   F   D   B♭   C   A
mae hi wedi mynd yn un neu ddau

Bm   D   Em9   F♯m
ond yn y bore, mae'r gwely'n gynnes braf

Bm   D   Em9
ac mae'n ddigon hawdd gorwedd 'nôl

            F♯m   Asus4 – A
   a breuddwydio am yr haf.

          Em7   A7   Em7   A7
A phan mae'r haul yn codi ar y tŷ bach yma,

                          Em7   A7   D   Bm7
             mae'r cyrtens wedi cau

          Em7 A7   Em7   A7
Cheith dim byd gystadlu efo gwres y gwely

                     Em7   A7   D   Bm7
             yn nymbar tri deg dau.

        Em7   A7   D
O, mae'r cyrtens wedi cau.

Mae'r teulu nesa'n mynd i fyny'r staer
cyn deg o'r gloch, a chodi cyn cŵn Caer.
Am y cynta efo'u cornfflecs o flaen y bocs,
watsio Angela Rippon a'r lleill ymhell cyn gwisgo'u socs.

A phan mae'r haul yn codi ar y tŷ bach yma,
                           mae'r cyrtens wedi cau
Cheith dim byd gystadlu efo llun y teledu
                          yn nymbar tri deg dau.
O, mae'r cyrtens wedi cau.

Paid â Gofyn i Mi

```
D      Em     G      A
D      Em     G      A
D      Em     G      A
D      Em            A
```

          D   Em   G
Paid â gofyn i mi

      A   D   Em   G   A
roi maddeuant i fy ffrind gore i

           D   Em   G
Paid â disgwyl i mi

     A   D   Em   G   A
beidio gwybod be sy' 'mlaen rhyngoch chi

       Bb   F
Dech chi'n meddwl 'y mod i'n ddall,

       Bb   F
dech chi'n meddwl 'y mod i'n ffŵl,

   Eb   F   A
ond paid ti â thwyllo dy hun, dwi'n ddigon cŵl.

Paid â gofyn i mi roi maddeuant i fy ffrind gore i
Paid â disgwyl i mi beidio gwybod be sy' 'mlaen rhyngoch chi
Dwi'n gweld yr arwyddion o bell,
                        mae'r peth yn ddigon amlwg i mi.
Iawn iti fynd efo fo, ond paid â gofyn i mi.
Paid â gofyn i mi.

F♯m   Em F♯m   Em
Ond dwi'n deud dim byd;   dwi isio ti'n ôl,

F♯m   Em   A
ond fedra' i byth anghofio.

Paid â gofyn i mi roi maddeuant i fy ffrind gore i
Paid â disgwyl i mi beidio gwybod be sy' 'mlaen rhyngoch chi
Paid â gofyn i mi.

Bradwr yn y Tŷ

Bb   Ab   Bb   Ab   Bb Ab   Bb Ab
Wyt ti'n meddwl fod ti'n nabod pawb o dy gwmpas,

Bb   Ab   Bb
wyt ti'n meddwl bod nhw i gyd

                  Ab   Bb   Ab   Bb   Ab
           yn hen fois iawn

Fm   Bb Ab   Bb   Ab
ond dwi 'di'u gweld nhw efo'u cyllyll allan,

Fm   Bb Ab   Bb   Ab
'di gweld y bradwr yn rhoi y gyllell mewn.

Mae o'n un o'r bois, yn un o dy ffrindie
wastad yn cytuno efo be ti'n ddeud,
ond pan ddaw'r amser iddo ddangos ei ochor
fydd o ddim yno i wneud.

Db   Eb
Paid â gofyn iddo fo wneud safiad,

Db   Eb
mae'n poeni gormod am ei ddyrchafiad,

Db   Eb   D7   G7   D7   G7
iddo fo mae pob peth yn argoeli'n dda . . .

D7   G7   Am7   D7
O na.

          G Bm7 - Bbm7 - Am7
Watsia dy hun –

            D   G   Bm7 - Bbm7 - Am7   D
mae'r bradwr yn y tŷ.

          G Bm7 - Bbm7 - Am7
Watsia dy hun

            D   G   Bm7 - Bbm7 - Am7   D
mae'r bradwr yn y tŷ.

Mae'n byw yn dda ar ei gyflog o ddeng mil y flwyddyn
wedi dringo'r ysgol allan o'r llwch
ond twll din i'r rhai sydd ar y grisie isaf
'dio'm isio gwneud dim byd neith siglo'r cwch.

'Di Chwalfa'n golygu dim
i dy weithiwr coler gwyn,
pam ddyle fo ddiodde pan mae bywyd mor dda?
O na.

Watsia dy hun – mae'r bradwr yn y tŷ.

Em   C   G
Mae'n cuddio'r Faner Goch dan y matres
Em   C   D
rhag ofn colli'i le yn y rat-res.

Mae'n deud ei fod o'n Adferwr, a hwyrach ei fod o.
O leia mae o'n mynnu byw yn y Fro.
Ond yn y Cyngor Sir 'sdim isio bod yn eithafol,
a llythyrau Saesneg gewch chi genno fo.

'Run fath â Magi o'r chip shop
mae o ar ei ffordd i'r top,
mae'n rhaid mai siwt a Saesneg sy'n gneud dyn yn star.
O na.

Watsia dy hun – mae'r bradwr yn y tŷ.

Y Tribiwnlys

Am   Em   F   C
Daeth Comisiwn Hawliau Hiliol i Fae Colwyn

Am   Em   F   C
ar saffari ar draws y ffin

Am   Em   F   C
i amddiffyn hawliau lleiafrifoedd ethnig

Am   Em   F   C
rhag cynghorau racist blin.

G   D   C
        Mae gen ti bob hawl bod yn Gymro,

G   D   C
        'mond iti beidio gwneud yr iaith

G   D   C
        yn gymhwyster angenrheidiol

                       F   Em   Dm
        pan ddaw'r Sais i chwilio am waith.

Mae dwy Saesnes fach dalentog a deniadol
gan eithafwyr 'di cael cam;
ar y Cyngor mae rhai'n mynnu bod hen bobol
i gael siarad iaith eu mam.

        Mae gen ti bob hawl bod yn Gymro . . .

Mae'r iaith Saesneg dan fygythiad y dyddie yma,
mae'n iawn disgwyl inni i gyd
wneud bob ymdrech i'w diogelu ac i'w dysgu
neu chawn ni ddim job o fath yn y byd.

        Mae gen ti bob hawl bod yn Gymro . . .

Felly diolch i'r Tribiwnlys ym Mae Colwyn
am ddangos inni'r ffordd yn glir;
mi geith pawb gyd-fyw mewn Gwynedd wâr ddwyieithog:
un iaith iddyn nhw, a dwy i ni.

Mae gen ti bob hawl bod yn Gymro . . .

Siarad

F
—
G

C   Em   F   C
Gei di gadw dy Arwyddion Dwyieithog,

          Em   D7sus4   G
dy Gorff Addysg, a Brad Es Ffor Si,

             C   Em   F   C
pan ti'n siarad mewn sloganau wyt ti'n huawdl iawn

             Dm   F   G
ond dwyt ti byth yn deud dim byd wrtha' i

              C   Eb   F   C
achos mae'n hawdd siarad o flaen y dorf,

     Em   F   G
uchelseinydd yn dy law;

          C   Eb   F   C
'di ddim mor hawdd siarad wyneb yn wyneb

 Dm   F   C
a gosod dy galon i lawr

Dwi'n gwbod bod Cymru'n marw,
dwi'n falch pan wela' i dŷ ha' ar dân,
ond 'di Sianel Gymraeg yn ddim cysur i fi
os na fedra'i siarad efo ti 'mond mewn cân.

Mae'n hawdd siarad o flaen y dorf,
uchelseinydd yn dy law;
'di ddim mor hawdd siarad wyneb yn wyneb
a gosod dy galon i lawr

Gen ti ddigon i ddeud am Fomiau Niwcliar,
Hawliau Merched, De Affrica Rydd;
mae'r syniade 'ma'n iawn fel ma' syniade'n mynd,
ond dwi'n dal i nabod dim arnat ti

achos mae'n hawdd siarad o flaen y dorf,
uchelseinydd yn dy law;
'di ddim mor hawdd siarad wyneb yn wyneb
a gosod dy galon i lawr.

Os Mêts . . . Mêts

F	F̲ F♯	Gm	C7	F	F̲ F♯	Gm	C7

Os mêts,   Mêts
Os mêts,   Mêts
Jonis y teicŵn
sy'n hedfan mewn balŵn.

      F
Ddwy flynedd yn ôl

      Ab   Gm   C7
doedd 'na neb yn siŵr iawn be oedd condom

ond rŵan maen nhw ym mhob man

diolch i Richard Branson.

Os mêts, Mêts
Os mêts, Mêts
Jonis y teicŵn
sy'n hedfan mewn balŵn.

Gm   C   F   Dm
Pwy sy' 'di fflio dros 'rAtlantic,
Gm   C   F   Dm
siope recordie, awyrennau i New York?
Gm   C   F   Dm
Pawb 'di cael llond bol ar ei antics,

Gsus4 G   Csus4 C
pawb . . .   ond fo.

Os mêts, Mêts
Os mêts, Mêts
Jonis y teicŵn
sy'n hedfan mewn balŵn.

Os ei di i'r tŷ bach mae 'na beiriant yn gwerthu pacedi
'Sna'm pwynt prynu siariau yn Virgin, mae'n siŵr bod ni wedi.

Os mêts, Mêts
Os mêts, Mêts
Jonis y teicŵn
sy'n hedfan mewn balŵn.

Ond mae Hi'n Ddel

Cmaj7 – Cmaj7 D

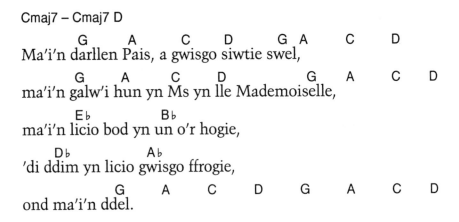

```
        G    A     C   D    G A    C    D
Ma'i'n darllen Pais, a gwisgo siwtie swel,
        G    A    C   D         G   A    C   D
ma'i'n galw'i hun yn Ms yn lle Mademoiselle,
       Eb              Bb
ma'i'n licio bod yn un o'r hogie,
      Db             Ab
'di ddim yn licio gwisgo ffrogie,
              G     A    C    D    G    A    C    D
ond ma'i'n ddel.
```

Mi fu hi'n cario gêr i Pryd Ma' Te am sbel,
a ma'i 'di bod i Greenham, ti'n gwbod be maen nhw fel.
Mae Spare Rib yn ei phoced hi,
ac ma'i'n torri'i gwallt yn fyrrach na fi
ond ma'i'n ddel.

```
Em_____
E            Eb          D            Db
A pan dan ni efo'n gilydd, dim ond ni ein dau,
Em_____
E            Eb          D            Db
ma'i'n ferch i gyd pan fydd y cyrtens wedi cau
           Cmaj7    C6        Dsus4  D
a'r sioe 'di gorffen       am y nos.
```

Mewn partis eith hi ar yr hôm-brŵ yn lle'r Hirondelle
a ma'i 'di bygwth rhoi blac ai i Felix Aubel.
Ma'i'n dreifio'i char yn well na dyn,
paid â chynnig cario'i bagie – mi neith hi o 'i hun
ond ma'i'n ddel.

Mae'r Noson Lawen wedi Chwythu'i Phlwc

```
C              Am    Dm7   Fmaj7          C      Am      Dm7  G
                           G
Mae'r noson lawen wedi chwythu'i phlwc
C              Am    Dm7   Fmaj7  C    Am      Dm7    G
                           G
Ddaw hi'm yn ôl efo dipyn bach o lwc
Am           Dm              G      C
Lle'r aeth yr Hen Ffordd Gymreig o Fyw?
      Am            Dm          Gsus4  G
'Mond cân Edward H. 'dio erbyn hyn
             F       Em      Eb              Gsus4      G
Mae'n traddodiade ni'n marw, a ninne'n syllu yn syn.
```

Pwy sy' 'na rŵan fedrith ganu penillion o'r frest?
Sawl tŷ'n y cymoedd sy'n tiwnio i HTV West?
I lle'r aeth y Cymry Cymraeg?
Den ni i gyd yn gaeth o flaen teli
yn watsio 'Eastenders' neu Alex Higgins yn potio'i beli.

Ar Ynys Enlli, mae ugain mil o saint wedi'u claddu
Yng ngweddill Cymru, mae'r genedl wedi'i sbaddu.
Mae'r llofft stabal wedi cau,
den ni'n genedl o ddarllenwyr y Sun
yn licio meddwl ein bod ni'n ddiwylliedig, ond den ni ddim yn.

Magu Plant

```
D                A   G    D        A   G
Pwy 'sa'n ddigon dwl i fagu plant?

   D        A    G    D        A   G
Ma' isio bod yn ferthyr neu yn sant.

D           A    G         D    A   G
Ma' nhw wastad isio'u ffordd eu hun,

D              A    G         D    A   G
ambell waith yn gofyn am chwip din.
```

Pwy 'sa'n ddigon dwl i fagu plant?
Ma' isio magu croen fel eliffant.
Ma' nhw i fyny tan berfeddion nos
yn watsio ffilmiau ar eu fideos.

```
D      F    G              D      F     G
Do, dros y blynyddoedd ma' plant 'di mynd yn llai.

      D         F            G
Ugain mlynedd yn ôl o'n nhw 'run oed â fi,

                                  A                G
                         ond rŵan ma' nhw'n iau.
```

Ma' nhw'n cael eu sbwylio reit o'r crud,
byth yn gorfod mynd heb ddim byd.
'S'na'm rhyfedd bod ni rieni i gyd yn sgint,
a'r plantos yn eu Levis deunaw punt.

Ma' plantos heddiw mor soffistigedig,
hyd yn oed yn yr ardaloedd gwledig.
'Run 'di plant o Sarn Mellteyrn i Radyr;
pawb yn chwarae gêmau cyfrifiadur.

Do, dros y blynyddoedd ma' plant 'di mynd yn iau.
Ugain mlynedd yn ôl o'n nhw 'run seis â fi,
                              ond rŵan ma' nhw'n llai.

Hen bryd i ni rieni daro'n ôl,
a gwrthod sychu trwynau a phen ôl.
Mynnu cyflog cyfiawn am ein gwaith,
a'r hawl i gysgu o ddeg y nos tan saith.

Do, dros y blynyddoedd ma' plant 'di mynd yn llai.
Ugain mlynedd yn ôl o'n nhw 'run oed â fi,
                              ond rŵan ma' nhw'n iau.

Do, dros y blynyddoedd ma' plant 'di mynd yn iau.
Ugain mlynedd yn ôl o'n nhw 'run seis â fi,
                              ond rŵan ma' nhw'n llai.

'Sgen Tony Ddim Tŷ

    A   D
O'n i'n arfer rhannu desg efo Tony

    A   D
yn yr ysgol, flynyddoedd yn ôl.

    A   D
Ar y pryd, 'mond rhyw ddeuddeg oed o'n i,

        A   D
ond pan es i ffwrdd i'r coleg, aeth o ar y dôl.

        E
'Sgen Tony ddim tŷ,

        A
'sgen Tony ddim to dros ei ben.

        E
Fuodd Tony'n tŷ ni,

        A
ond erbyn hyn ma' 'di mynd 'nôl i Lunden.

        E
'Sgen Tony ddim tŷ.

Ma'n deu'tha' i fod o'n cysgu ar y pafin;
'di'm yn ddrwg yn yr haf, medde fo.
'Mond hen bapurau newydd a bocs carbod
i'r rhai sy'n methu ffeindio lle o dan do.

C♯m   Caug5

'Nes i golli nabod arno fo dros y blynyddoedd,

$\frac{E}{B}$ F♯7

ond mi ddoth o acw un tro 'fo potel wisgi'n ei law.

      Bm   B♭aug5

Fuodd o'n cysgu'n y llofft sbâr am ryw chydig o fisoedd,

    $\frac{D}{A}$ E7

oedd hi'n aea' digon gwlyb, doedd o'm yn licio y glaw.

Roedd Tony wastad yn dipyn o lwynog,
yn ddigon siarp i gadw'i groen yn iach,
felly pam ddiawl ydw i'n teimlo'n euog
pan dwi'n gorwedd yn 'y ngwely clyd yn y bore bach?

Na'th o ddeu'tha' fi fod o isio setlo,
tasa fo 'mond yn ffeindio stafell i fyw.
'Nes i'm cynnig y llofft sbâr iddo fo eto.
Ydi, mae o'n hen ffrind, ond ma' gen i 'mywyd i fyw.

      'Sgen Tony ddim tŷ,
      'sgen Tony ddim to dros ei ben.
      Fuodd Tony'n tŷ ni,
      ond erbyn hyn ma' 'di mynd 'nôl i Lunden.
      'Sgen Tony ddim tŷ.

Ymuna efo'r Heddlu

   F7   B♭   F7
Ymuna efo'r heddlu,

B♭   F7 B♭   F7   B♭ F7   B♭   F7   B♭
does 'na'm isio lefel O na lefel A,

   F7 B♭   F7
ymuna efo'r heddlu

B♭   F7   B♭   F7 B♭   F7 B♭   F7   B♭
os wyt ti isio job sydd efo prospects da.

      B♭7 E♭   B♭7   E♭
Den ni isio rhywun sy'n hoff o action

      B♭7   E♭   B♭7   E♭   F7 B♭   F7   B♭
a sy' ddim yn meindio symud tŷ,

    C7   F   C7   F   B♭7
a gorau oll os wyt ti'n casáu Commis

/   /   /   F7   B♭   F7   B♭
a Welsh Nash a dynion du.

Tyrd lawr i'r carnifal yn Notting Hill
  bob haf i'n gweld ni'n fyddin gre'
dros saith mil o heddweision arfog
  jyst i gadw'r duon yn eu lle
ac os meiddith un o'r nigers godi'i lais
  mi awn â fo lawr i'r cop shop
ac mi wnawn ni hanner ladd o
  (ond mi drïwn gofio peidio mynd dros top).

F7   E♭7   B♭7   F7
Os wyt ti isio job lle gei di fod yn iob am lot fawr iawn o bres,
F7   E♭7   B♭7   F7
Ty'd i joinio'r polîs lle gei di fil y mis a dod â Polîs Stêt yn nes.
Am   B♭   F   Gm
Anghofia'r plismon pentre, 'di plismon heddiw ddim yn ffrind,
B♭   C   F   E♭
Anghofia Dixon of Dock Green, mae'r dyddie hynny wedi mynd.

Mi naethon lwyth o bres
  wrth fynd i chwalu streic y glowyr dro yn ôl
Den ni mewn BMWs erbyn hyn,
  a'r glowyr bach yn seinio'r dôl
Ond os dywedith unrhyw un
  ein bod ni'n iwsio lot fawr iawn o drais
Be dech chi'n ddisgwyl gan ryw lafnau
  fagwyd ar y 'Sweeney' a 'Miami Vice'?

Mae'n amlwg pam dan ni'm yn cîn
  i roi'r gair 'Heddlu' ar y ceir,
'di 'Hedd' ddim yn y cwestiwn
  pan mae Nashi bach yn gofyn am ddiawl o gweir
ac os den ni isio holi dyn
  mae'n sbort fawr aros tan yr orie mân
cyn mynd i'w dŷ a malu'i ddrws
  a rhuthro mewn a dychryn pawb yn lân.

Os wyt ti isio job lle gei di fod yn iob am lot fawr iawn o bres,
Ty'd i joinio'r polîs lle gei di fil y mis a dod â Polîs Stêt yn nes.
Anghofia'r plismon pentre, 'di plismon heddiw ddim yn ffrind,
Anghofia Dixon of Dock Green, mae'r dyddie hynny wedi mynd.

Cyfraith a Threfn

Em   Em   F#m
Maen nhw'n cyflogi mwy o blismyn, medden nhw,

B7 Em Em F#m B7
        G
  yn y gymuned

er mwyn ei gwneud hi'n saffach ar y stryd

ond lle maen nhw ynghanol nos

  pan mae rhyw dri neu bedwar sgin'ed

yn rhoi'r esgid mewn i rywun am ddim byd?

Cmaj7   A9   Cmaj7 A9
Paid â phoeni dim os wyt ti ar wastad dy gefn,

Cmaj7   A9   D
Diolcha bod y llywodraeth 'ma mor bybyr

  B7   Em Em F#m B7
               G
  dros Gyfraith a Threfn.

Os wyt ti wedi bod ar brotest, w't ti'n gwbod sut rai den nhw,
Gwarchodwyr dewr Gwareiddiad Prydain Fawr.
'Na'n nhw'm deud 'esgusodwch fi' na gofyn be 'di d'enw,
'mond dy lusgo di fel sach ar hyd y llawr.
Ond paid â phoeni dim os gei di gic yn dy gefn
Cofia, rhein 'di'r bois sy'n gwarchod Cyfraith a Threfn.

Yn y Gymru sydd ohoni, gen ti bob hawl i brotestio
dros ryw achos bach diniwed fel yr iaith.
Cei, mi gei di dy garcharu ac mi gei di dy arestio
ond fydd neb 'di digio gormod atat chwaith
achos mae'n iawn iti herio'r Gyfraith pan ti'n ifanc a ffôl,
ond meiddia herio'r Drefn a chei di fyth ddod yn ôl.

Dwi'm Isio Mynd i Sir Fôn

A   Amaj7
Mae hi'n ynys sy' mor fychan –

   A7   G   G7
Yr unig beth rhwng nhw a ni ydi pont

A   Amaj7
Ond mae'r bobol mor wahanol

A7   G   G6
Pam ddiawl mae bob un yn gymaint o ****?

D   G   D   G

F♯m   Bm

Em   A   D
(ychwaneger enwau unrhyw bobol annifyr o Fôn)

C   G   A F   D   E
Dwi'm isio mynd i Sir Fôn.
C   G   A F   D   E
Dwi'm isio mynd i Sir Fôn.

Mae'n ddirgelwch ers canrifoedd
Cwestiwn mawr sy'n mynd i fyny 'nhrwyn
Sut fod ynys sy' mor fychan
yn cynhyrchu cymaint o gocie ŵyn?

Dwi'm isio mynd i Sir Fôn.

Pedwar Mis (i Keith)

```
C                                          F
Daeth twrne bach o Brighton i deyrnasu yn Sir Fôn,
      C                                    G
un brwd dros gyfraith gwlad a chadw'r drefn;
      C                              F
yn biler y gymdeithas, yn hoff o'i gwrw yn ôl y sôn,
      C            G              C    C7
a heno mae 'na gonfict ar ei gefn.
```

```
              F                   C
    Pedwar mis i Keith, pedwar mis i Keith,
    D                        G                    C
    meddai yr hen farnwr cas, 'Pedwar mis i Keith.'
```

Un noson yng Nghaergybi, roedd hi'n dywyll ac yn wlyb,
a lori wedi parcio ar draws y lôn,
roedd Keith ni'n emosiynol a 'di dal hi ar y pryd:
mi aeth o i din y lori yn y bôn.

    Pedwar mis i Keith, pedwar mis i Keith,
    meddai yr hen farnwr cas, 'Pedwar mis i Keith.'

Roedd o'n teimlo fel dyn newydd ar ôl dod o'r C&A,
ond doedd 'na'r un yng Ngwynedd, dyna siom,
'Mae 'na ddigon o rai tebol yn Brixton,' medde fe
so mi brynodd lot o siârs yn Telecom.

    Pedwar mis i Keith, pedwar mis i Keith,
    meddai yr hen farnwr cas, 'Pedwar mis i Keith.'

A nawr mae'r hunlle drosodd, mae Keith bach ni yn rhydd,
mae Lander wedi landio ar ei draed,
ond ar ôl pedair noson, fydd pethe byth 'run fath
achos mae hir nosweithiau Brixton yn ei waed.

Pedwar mis i Keith, pedwar mis i Keith,
meddai yr hen farnwr cas, 'Pedwar mis i Keith.'

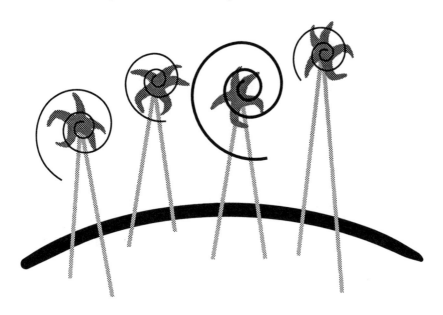

Summertime

Dm
Summertime, and my house is on fire

Gm   A7
Summertime, some bastard burned it down

Dm
Summertime, no more weekends in Gwynedd

F   Dm   Gm   A7   Dm
I might as well fuck off back home to Birmingham.

Dafydd Elis Thomas

G
Ein harweinydd ysbrydol ydi'r hen Dafydd Êl,
G
Come on now baby join the Party of Wales
         C   G
Lord Elis Thomas, dwi'n sôn am Arglwydd Elis Thomas.
        D   C   G
Fo 'di llywydd y Blaid, plaid Lewis Valentine a DJ a Saunders.

'Dio'm yn genedlaetholwr nac yn ffasgydd ychwaith,
'Dio ddim yn licio bois Cymdeithas yr Iaith.
Lord Elis Thomas, dwi'n sôn am Arglwydd Elis Thomas.
Fo 'di llywydd y Blaid, plaid Lewis Valentine a DJ a Saunders.

Os ti'n Sais gwrth-Gymraeg neu'n berchennog tŷ ha'
Mi ffeindi di fod y Lord yn ddiawch o foi da.
Lord Elis Thomas, dwi'n sôn am Arglwydd Elis Thomas.
Fo 'di llywydd y Blaid, plaid Lewis Valentine a DJ a Saunders.

Mae o'n lladd ar y Meibion ond o blaid ANC,
Mae gwrthryfela'n iawn, ond ddim yn gwlad ni.
Lord Elis Thomas, dwi'n sôn am Arglwydd Elis Thomas.
Fo 'di llywydd y Blaid, plaid Lewis Valentine a DJ a Saunders.

If you're scared that the Welshies gonna burn your house down
You'll be OK as long as the Lord is around.
Lord Elis Thomas, dwi'n sôn am Arglwydd Elis Thomas.
Fo 'di llywydd y Blaid, plaid Lewis Valentine a DJ a Saunders.

Syr Wyn ap Con Club

```
C      Em    Dm            G     C     Em    Dm    G
Cwyd,                 Syr Wyn ap Con Club
```

```
C      Em    Dm            G     C     Em    Dm    G
Cwyd,                 Syr Wyn ap Con Club.
```

```
C    Eb    Bb     F        G      G7
Am wasanaethu Prydain Fawr,
```

```
C    Eb    Bb     F    G    G7
Am gadw Cymru ar y llawr . . .
```


O, cwyd, Syr Wyn ap Con Club,
Cwyd, Syr Wyn ap Con Club.
'Mond un feistres sy' gen ti
Margaret Thatcher ydi hi.


```
Am                Dm      G          C
Mae clwy'r marchogion wedi taro Wales
```

```
Am                Dm            G
Does 'na'm byd gwaeth na dôs o beils.
```


Cwyd, Syr Wyn ap Con Club
Cwyd, Syr Wyn ap Con Club.
Ti a dy stooge bach Elwyn Jones,
Dach chi fel dau bâr gwlyb o drôns.


```
C
Cwd.
```

Ymbelydredd

```
A                          D                      A
Gorwedd yn 'y ngwely, ymbelydredd yn dod drwy'r drws,
D                                               A
Gorwedd yn 'y ngwely, ymbelydredd yn dod drwy'r drws,
      E7                 D                        A
Mae'n berig yn y gogledd, dwi'n mynd i fyw yng Nghaersws.
```

Eistedd yn y gegin, ymbelydredd yn dod drwy'r wal,
Eistedd yn y gegin, ymbelydredd yn dod drwy'r wal,
Mae'r lamb chops ge's i neithiwr 'di gneud i fi deimlo'n sâl.

Eistedd ar y toilet, ymbelydredd yn dod i fyny'r pan,
Eistedd ar y toilet, ymbelydredd yn dod i fyny'r pan,
Mae'n berig mynd am gachiad, dwi'n mynd i stopio byta bran.

Eistedd o flaen y teli, ymbelydredd yn dod drwy'r sgrîn,
Eistedd o flaen y teli, ymbelydredd yn dod drwy'r sgrîn,
Mae 'nghwd i'n ymbelydrol, dwi'n methu codi min.

Yn 'y nghwrcwd ers pythefnos, bwrdd y gegin uwch fy mhen,
Yn 'y nghwrcwd ers pythefnos, bwrdd y gegin uwch fy mhen,
Dwi ofn mentro allan, rhag ofn fod y byd ar ben.

Gwneud yr Arg

Am
Asil Nadir a Gareth Glyn,

Am
Graeme Souness a Syr Wyn,

Am
Jacques Delors, Jack Kerouak,

Dm   E7
Bobs a Sobin a Wil Cwac Cwac

            Am
yn gwneud yr Arg.

Bryn Terfel ac Andy Pandy,
Nia Melville, Lord Tonypandy,
Yr Ayatollah Khomeini,
Boris Becker a Smot y Ci
yn gwneud yr Arg.

John Major, Madonna a'r Pab,
Hristo Stoichkov, y Cwîn a'i mab,
Angharad Mair a Kenny Khan,
morfilod mawr ac adar mân
yn gwneud yr Arg.

Siôn Aled ac Aled Sam,
y boi oedd yn chwarae dryms i'r Jam,
Bill a Ben a Little Weed,
Yr Enw Da a chi i gyd
yn gwneud yr Arg.

Entrepreneur

```
G          C        F          C        G    C  F  C
Dwi wedi blino ar weithio mewn swyddfa'n y dre,
        G      C    F        C      G    C  F  C
dwi am werthu'r car a dechre busnes bach yn lle;
G          C          F          C      G  C  F  C
mi ffeindia' i fwthyn sy'n gwerthu'n rhesymol o rad,
G      C              F        C      G    C  F  C
a dechre gneud rhyw ganhwyllau, a byw yn y wlad.
Bm                  Bb                D
Ga' i gymorth amhrisiadwy gan y wraig a'r plant,
Bm                      Bb              D       D
ac mae'r Awdurdod Datblygu'n siŵr o gynnig grant.
```

```
              G  D  C    D  G    D  Am7  D
Fydda i'n entrepreneur     bach gyda hyn,
          G  D  C    D  G  D    Am7 D
yn entrepreneur     fatha Eirug Wyn,
          G  D  C          D  G D  Am7  D
yn entrepreneur,      mae'r dydd yn dod yn nes,
          G  D  C          D  G  D  Am7  D
yn entrepreneur      yn gneud lot fawr o bres.
```

Yr unig broblem sy' genna' i rŵan ydi be dwi am neud,
dwi'm yn ffansïo gneud canhwyllau, mae raid imi ddeud,
mae ffarm gwningod yn swnio fel gormod o waith
a dwi ddim yn gweld fy hun yn llwyddo i agor canolfan iaith.
Mi fedrwn agor swyddfa bost leol yn Ffos-y-ffin,
ond 'swn i'm isio treulio 'nyddiau yn llyfu pen ôl y Cwîn.

Fydda i'n entrepreneur bach gyda hyn,
yn entrepreneur fatha Eirug Wyn,
yn entrepreneur, mae'r dydd yn dod yn nes,
yn entrepreneur yn gneud lot fawr o bres.

Dwi wedi'i gael o – mi ddechreua' i gwmni llosgi tai ha',
oriau anghymdeithasol ond mae'r job satisfaction yn dda;
mi ga' i ddeliveries bob nos Fercher i dwll yn y wal,
a does 'na'm peryg o gwbwl imi gael fy nal,
'chos tra mae'r heddlu'n arestio sêr Es Ffor Si,
fydd neb yn gwbod pwy 'di Glyndŵr a'i Feibion plc.

Fydda i'n entrepreneur, wel o leia, bron,
yn entrepreneur, fydda i'n siŵr o wneud bom,
yn entrepreneur, dyna fydd fy nghân,
yn entrepreneur yn rhoi Cymru ar dân.

Maureen

C   Em
Paid â byth fy anghofio fi,

Bb   F
'sgenna' i'm byd, ond ma' genna' i ti

       C   Em   Bb   F
Maureen.

C   Em
Os oes raid iti fynd i ffwrdd,

Bb   F
gad 'y nghalon ar y bwrdd,

       C   Em   Bb   F
Maureen.

G   Ab   G
Ella ddyle 'mod i wedi cau y giât

           Bb   G
ond oedd gen i gymaint ar 'y mhlat,

                   Ab   G
ddoist ti mewn a wnest ti newid pethe'n llwyr,

               Am
dwi isio tynnu'n ôl ond rŵan mae'n rhy hwyr,

      Am
dwi 'di colli 'mhen yn llwyr

           C Em   Bb   F   C Em   Bb   F
drosot ti fy Maureen.

Dwi ddim yn gallu cau y drws,
dwi'n troi a throsi yn 'y nghwsg,
Maureen.
Dwi'n meddwl fedrwn i fynd o 'ngho'
jyst meddwl amdanat ti efo fo,
Maureen.

Ddoist ti 'mewn a wnest ti dynnu'r waliau i lawr,
rŵan maen nhw i gyd yn deilchion ar y llawr,
dwi'm yn gwbod be wyt ti wedi'i wneud i fi
ond dwi'n gwbod 'mod i'n dal i dy garu di,
lle bynnag fyddi di,
cofia hynny Maureen.

Mynd i Weld y Cwîn (i Meg)

('Back in the USSR'– y Beatles)

E

A   D   C   D
Weles i hi gynta 'nôl yn '55 – wyddwn i'm be o'n i'n neud,
A   D
Roedd hi efo'i mab hi ond roedd hwnnw'n wimp –

    C   D
oedd genno fo ddim lot i ddeud.

                        A   C   D   E7
Dwi'n mynd i weld y Cwîn – agora botel o win –

                A   D – D♯ – E
mynd i weld y Cwîn.

Ddoth hi 'nôl i Aber 'ma yn '96 – erbyn hyn dwi'n dechre dallt,
Ella nag 'di'n torri gwynt na tharo rhech –
ond mae'i theulu'n mynd lawr allt.

Dwi'n mynd i weld y Cwîn – agora botel o win –
mynd i weld y Cwîn.

         D   A
         Princess Anne ma' hi braidd yn blaen,

          A
         'di'n gneud dim byd i fi;

         D_____   B
         D   Db   C
         'Di Margret byth yn tynnu'r tjaen,

          E   D   A   D – D♯ – E
         ond Lizzie ydi'r un i mi.

                 ★   ★   ★   ★

Pan driodd Morys ac Iwan a'r bois fynd ati i ddeud
su'mai,
Mi benderfynodd gymryd y goes, a ffwrdd â hi
heb ddeud bai-bai.

Na'th hi fethu dod i'n gweld ni yn y Cŵps –
oedd hi'n gorfod mynd yn ôl
I neud rhyw bethe boring fel inspectio'r trŵps –
'lle gwrando ar y roc 'n' rôl.

Dwi'n mynd i weld y Cwîn – agora botel o win –
mynd i weld y Cwîn.

I Couldn't Speak a Word of English
(until I was ten)
(gyda diolch i'r Dyniadon Ynfyd Hirfelyn Tesog)

   D
Wel dyma ichi stori ryfedd, pob gair ohoni'n wir,
   G   D
am hogyn bach o Wynedd, a gafodd barch ei sir.
   A   G7
Fe dyfodd ei enwogrwydd, enillodd glod a bri
   D
Ond un peth oedd yn ei boeni fo, a dyma a ddywedodd i mi

      G
Oh I couldn't speak a word of English

                               D
                      until I was ten years old
      G
No I couldn't speak a word of English

                           D   A
                  until I was ten

A phan aeth o i'r ysgol mewn trywsus cwta a chap,
mi ddysgodd lot o ffeithiau ac mi ddysgodd lot o grap,
a bob nos rhuthrai adre i wylio S4C a 'Heno'
a chyn bo hir roedd Saesneg wedi treiddio i mewn i'w ben o.

      I couldn't speak . . .

Ac ar ôl gadael ysgol aeth i'r coleg ar ôl yr ha'
ond ddim i Brifysgol Cymru, doedd fan'no ddim digon da.
Mi aeth o i Rydychen, enillodd Ph.D
ac erbyn hyn mae o ar ei ffordd i fod yn MBE.

      I couldn't speak . . .

Pan oedd o'n hogyn ifanc, ei hoff grŵp oedd y Maffia,
ond mae pethau wedi newid, Cymraeg sy' braidd yn naff, ia.
Dechreuodd o grŵp Saesneg a'i alw'n Pink Flip Flops
Ac erbyn hyn maen nhw i'w gweld bob nos Wener
                                    ar 'Top of the Pops'.

     G
Oh I couldn't speak a word of English

                             D
                   until I was ten years old

     G
I couldn't speak a word of English

                      D   B7
             until I was ten, la la la la la

      E   A   D
No I couldn't speak a word of English until I was ten
C   D
Oh yeah.

CANEUON
gan Feirdd Eraill

Nid Llwynog oedd yr Haul

Ab   Abmaj7   Db   Eb7sus4
Maen nhw'n deud dy fod ti wedi 'maeddu,

Ab   Abmaj7   Db   Eb7sus4
maen nhw'n deud nad wyt ti yn fy haeddu,

Ab   Gb   Db
maen nhw'n deud 'mod inne'n colli arna'

       Bbm   Cm   Db
yn rhoi cyfle arall iti wneud fy myd yn ddarna'

      Eb
ond mi wn

Db   Eb7sus4 Ab
nad llwynog oedd yr haul.

Codi mae'r tarth fel y disgyn dydd,
a nant y dyffryn yn awr ynghudd,
dim ond niwl ar y bryniau draw,
dim ond yr amser da yn ôl a ddaw
drwy niwl y co', ond . . .
nid llwynog oedd yr haul.

     $\frac{F}{C}$ $\frac{Bb}{D}$ $\frac{C}{E}$ F
Bu'r byd fel gwely mwsog gyda ti gyda mi,

     $\frac{F}{C}$ $\frac{Bb}{D}$ $\frac{C}{E}$ $\frac{D}{F\sharp}$
awyr las ac oriau glasoed gyda mi, gyda ti,

  Gm $\frac{F}{A}$ Bb   C
Pelydrau Mai yn wincio drwy'r awel ar y dail,

  Gm $\frac{F}{A}$ Bb   Gm7 $\frac{Bb}{C}$ F
a minnau'n dal i gredu nad llwynog oedd yr haul.

Bu'r dyddiau cynnar yn felys i gyd
ond haul y bore sy'n siomi o hyd.
Tro yn ôl i edrych arna' i,
dwed dy fod ti'n caru'r hyn a weli di
ac mi wn
nad llwynog oedd yr haul.

Bu'r byd fel gwely mwsog gyda ti gyda mi,
awyr las ac oriau glasoed gyda mi, gyda ti,
Pelydrau Mai yn wincio drwy'r awel ar y dail,
a minnau'n dal i gredu nad llwynog oedd yr haul.

Myrddin ap Dafydd

Y Dyddiau Gynt

C   Bb C
Dwi heb dy weld ers tro byd,

Bb   C
dal i ofyn pam o hyd,

Eb   F   C   Bb   C
Wyddwn i ddim fod poen yn dal i fod yn boen cyhyd.

Em   Am
Y mae heddiw'n mynd i'r niwloedd,

          Em   Dm7 G
Nid wy'n malio am ei hynt,

Am   Em
Mi aiff fory yno i'w ganlyn:

      Dm7   G
rwyf yn byw'n y dyddiau gynt.

A   Ebdim7 D6   E6/7
Dim ond cofio'r dyddiau cynnes,

A   Ebdim7 D6 E6/7
Gorwedd yn dy gesail di,

A   Ebdim7 D6   E6/7
Dim ond cyfri'r tywydd tyner

       A   Ebdim7 D6   E6/7
wrth ail-fyw ein hamser ni;

F#m   Faug5 A   D#mdim5
                          E
Dim ond codi fy ngolygon

           D   A   Bm
               C#
hyd at grib y bryniau draw:

D   E
Yno gwelaf y ddau gariad

       A   Ebdim7 D6   E6/7
yn eu heulwen law yn llaw.

Yn y freuddwyd mae 'na ddau,
ond daw'r bore a'i byrhau,
Pam na chaf i aros gyda'm llygaid i ynghau?

Dim ond cofio'r dyddiau cynnes . . .

Mae pob munud yn rhy hir,
a phob celwydd yn rhy wir,
Curiad cur fy nghalon ydi'r unig beth sy'n glir.

Myrddin ap Dafydd

Yncl Huw

```
       C           C7                F              F7
Pan oeddwn i yn fachgen bach roedd dilyn y llwybr cul yn strach,
       C                    G                 C         G
doedd Dad a Mam ddim yn gwybod beth i'w wneud,
       C           C7        F              F7
Ond cwrddais i ag Yncl Huw, dysgodd imi ffordd o fyw
   C           G           C
a dyma beth oedd ganddo fo i'w ddeud . . .
```

```
F                         Ab7         C        A7
                          Gb          G
Dwy neu dair merch, digon o serch, noson ar yr êl,
D7          G7        C
Dyna be 'di bywyd da i mi.
F                         Ab7         C        A7
                          Gb          G
Dwy neu dair merch, digon o serch, noson ar yr êl,
D7          G7        C
Dyna be 'di bywyd da i mi.
```

Erbyn hyn dwi 'di tyfu lan ac wedi gadael ysgol, man,
a mynd i'r coleg yn Aberystwyth deg,
ond os dach chi isio ffeindio fi,
                        peidiwch edrych yn y coleg ger y lli,
dewch draw i'r Llew Du am hanner awr wedi deg

lle bydd 'na ddwy neu dair merch, digon o serch, noson ar yr êl,
Dyna be 'di bywyd da i mi . . .

Pan fydda i'n hen a 'ngwallt yn wyn
                              a'm ffrindiau i gyd wedi mynd
i'r dafarn enfawr sy' yn y ne',
mi fydda i yn dal yn fyw, diolch i gyngor Yncl Huw,
gawn ni uffern o sesh lawr yn y dre

gyda dwy neu dair merch, digon o serch, noson ar yr êl,
Dyna be 'di bywyd da i mi . . .

Ronw Protheroe / GL

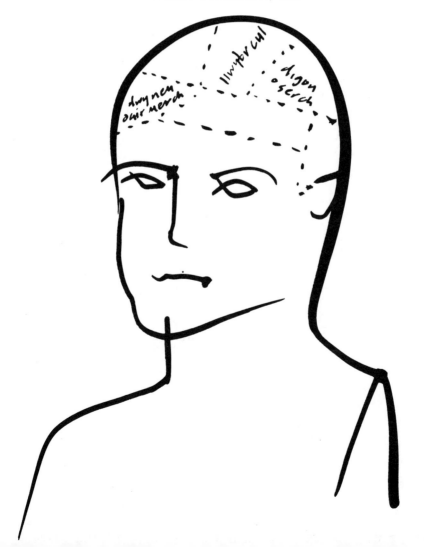

Anita

```
    C       Am        Dm              G7
Anita, Anita, pam wnest ti 'ngadael i?
         C     Am       Dm      G7
Dwi'n methu byw hebot ti.
    C       Am        Dm          G7
Anita, Anita, mae d'enw wedi'i gerfio
      C            Am     Dm  G7
am byth ar 'y nghalon i.
```

```
    Am                      Dm
Pam est ti? Pam est ti, a 'ngadael i fel hyn?
            C           Am          Dm    G7
Dwi mor drist, mi allwn foddi yn y llyn.
    Am                  Dm
Os na ddoi di'n ôl, 'nôl ataf, Nita fwyn,
        C            Am          Dm    G7
mor enfawr, mor enfawr fydd fy nghwyn.
```

Anita, Anita, pam wnest ti 'ngadael i?
Dwi'n methu byw hebot ti.
Anita, Anita, mae d'enw wedi'i gerfio
am byth ar 'y nghalon i.

Ble wyt ti? Ble wyt ti? Dwi'n chwilio nos a dydd,
dwi mor drist, dwi mor drist, dwi mor drist.
Tyrd 'nôl, f'anwylyd, tyrd 'nôl i fy ngŵydd,
mor enfawr fydd fy hapusrwydd.

Ronw Protheroe / GL

Dicsi'r Clustiau

C6   Dm
Mae gan y sarff, gyfaill, lygaid miniog,

G9   C6
ac mae'n cofio pob peth a wêl,

Am   Dm
bydd ofalus, mae o'n gyfrwys,

G9   C6
paid â'i groesi, doed a ddêl.

Os digon gennyt dy dipyn rhyddid
cadw'n dawel yn dy dŷ,
paid gwneud twrw yn dy gwrw,
mae gan Dicsi glust fel ci.

Dicsi'r Clustiau, dyna'i enw,
y fo 'di'r gwyliwr ar y tŵr,
nid yw'n blino nac yn cysgu,
mae'n dy wylio yn ddigon siŵr.

Felly Gymro, bydd yn effro,
i dy weithredoedd y mae tyst,
y dyn bach tawel yn y gornel,
dyna'i enw, Dicsi'r Glust.

Gruff Miles

Ffordd Osgoi

```
C          Bb6
           C
Noson o Fai a'r haf yn

Abmaj7        Bb6    C    Bb6  Abmaj7      Bb6
C             C           C    C           C
cymryd camau cyntaf dros y bryn,

C      Bb6         Abmaj7    Bb6
       C           C         C
tymor i ddawnsio a theimlo'n dda,

             C    Bb6   Abmaj7      Bb6
                  C     C           C
'sdim cwmwl ar ein gorwel gwyn;

         Dm        C6
goddiweddyd gofidiau,

         Dm    A7              Dm   C6   Dm    A7
               E                                E
troi'r radio 'mlaen a troed i lawr;

Db                     G7
sgrech y teiars ar y tarmac gwlyb,

             C              Bb6   Abmaj7    Bb6
                           C      C         C
does 'na'm ffiniau pan mae'r tanc yn llawn.


C     Bb6   Abmaj7       Bb6
      C     C            C
```


```
         B        F#
Ac mae'r ffordd osgoi

                        Bb6  Abmaj7  Bb6
         Bb        F     C    C       C              C
yn ein harwain i mewn i'r nos,

         B        F#      Bb
'sdim cyfathrach a dim troi'n ôl,

                        Bb6  Abmaj7  Bb6
         F         C     C    C       C
dim ond mudandod ymlaen.
```

Tonnau y môr yn tynnu mêl
o'r machlud uwchlaw Ynys Môn,
a'r Eifl yn gwylio'r rhes gwenoliaid
ddaw i fwrw'r Sul ym mhen pella'r lôn:
on'd yw'r bythynnod yn bictiwr,
fel tylwyth teg yng ngolau'r lloer,
ond pan ddaw'r bore 'sdim ond gwlith ar ôl,
does 'na'm chwerthin pan mae'r aelwyd yn oer.

Iwan Llwyd

Annibyniaeth

```
G                    Em   D    G    Bm    C
Mae'r lôn newydd wedi agor erbyn hyn
G                    Em      D    G      Bm    C
A'r hen griw wedi chwalu ar y pedwar gwynt
        Am              G
'Di'r cwrw ddim cystal bellach,
          D                Em
a deud y gwir mae o dipyn drutach,
              C                    Bm              D
ond dwi'n gwybod am le lle gei di o leia un peint am bunt.


        Em C D
Felly canwn    i'n hannibyniaeth
        Em                C            D
fe ddaeth yn sydyn yn y diwedd inni i gyd,
        G      D    C              D        G
wedi ymladd cyhyd, a meddwl bod ni'n rebels go iawn.
Em C D
Canwn    i'n hannibyniaeth,
        Em                C            D
ond cofia edrych dros dy ysgwydd bob tro;
        G    D          C            D        G
Ydi'r drws ar glo, 'chos w't ti ar ben dy hunan yn awr.
```

Dwi'n mynd adre weithiau i fwrw'r Sul,
ond mae'r wynebau cyfarwydd yn ddiarth i mi,
y rhifau ffôn i gyd wedi newid,
cyfeiriadau newydd y rhai ga'th eu rhyddid,
a dwi'n sefyll yn fa'ma yn aros am lifft o'ma gen ti.

Felly canwn i'n hannibyniaeth
fe ddaeth yn sydyn yn y diwedd inni i gyd,
wedi ymlaedd cyhyd, a meddwl bod ni'n rebels go iawn.
Canwn i'n hannibyniaeth,
ond cofia edrych dros dy ysgwydd bob tro;
Ydi'r drws ar glo, 'chos w't ti ar ben dy hunan yn awr.

Iwan Llwyd

Y Bore wedi'r Noson Gynt

```
G              Em            Am
Cariad – rwyt ti'n cerdded drwy 'mreuddwydion
            C       G   Em    Am    C
heb gau'r drysau ar dy ôl,
G              Em               Am
Cariad – rwyt ti'n deffro rhyw deimladau
          C          G  Em  Am    C
fu wedi'u cuddio yn fy nghôl,
        Em          A     C     G
Rwyt ti'n agor y ffenestri sy'n croesawu'r tywydd teg,
        Em          A       C    G
Rwyt ti'n awel gynta'r bore, er ei bod hi'n un ar ddeg.
```

```
Bm
Dim ond cau fy llygaid i
C
Rwyt ti yma gyda mi,
       D
Rwyt ti'n aros er ei bod hi wedi nosi;
Bm
Rwy'n dy weld yn dringo'r allt,
C
Blodau melyn yn dy wallt
D
Ac mae heno eto'n nos o droi a throsi.
```

Cariad – rwyt ti'n t'wynnu fel pelydryn
ond mae'r haul yn mynd i lawr,
Cariad – rwyt ti'n gynnes yn dy sgwrsio
ond beth sy' 'na i'w ddweud yn awr?
Rwyt ti yma fel hen alaw sydd yn gwrthod mynd o 'nghlyw,
Rwyt ti'n gwmni sy'n dychwelyd ac mae'r gwanwyn eto'n fyw.

Cariad – rwyt ti yma yn fy ymyl
er bod pellter rhyngom ni,
Cariad – ti yw'r enw ar fy ngwefus
rwyt ti'n felys gennyf i;
Rwyt ti'n llygedyn bach o Ebrill ac mor hawdd yw gweld yr haf,
Rwyt ti'n dal i godi'r bendro ac mae'r freuddwyd dal yn braf.

Myrddin ap Dafydd

Alan Bach MP

```
      Dm              Gm                  Dm
Mae 'na ASyn bach yn byw yn nhre Caerfyrddin
   Gm                               A
yn palu c'lwydde mawrion rownd y rîl,
Dm                Gm            Dm
dyn bach wyneb crwn a wig il-ffitin
   Gm                           A
yn poeni bod y Sais yn cael bym dîl.
```

```
                Dm
                D     C     B    Bb    A    Ab    G   Gb
Alan bach MP,              Alan bach MP,
Gm                               A
hwn sy'n gwneud bob Cymro da yn flin,
            Dm
            D    C     B    Bb    A    Ab    G   Gb
ond does neb yn cymryd bet ei fod o'n siarad trwy ei het, yn ôl ei
Gm              A          Dm
lais o mae o'n siarad trwy ei din.
```

O'n i wastad wedi meddwl nad oedd posib
cael neb gwaeth na Sulwyn Tomos yn y byd,
ond dwi'n tynnu 'ngeirie'n ôl, clywais Alan bach wan bôl
yn cael ei 'verbal deiarîa' yn un fflyd.

Alan bach MP . . .

Mae yr oak oedd yn Carmarthen wedi ffôlan
i wneud coffin i'r hen language ar grêt sbîd
ond tra bydd peips ei siwrej anti-Welsh yn llifo
bydd Alan bach MP yn shit i gyd.

Alan bach MP, Alan bach MP,
hwn sy'n gwneud pob Cymro da yn flin,
ond does neb yn cymryd bet ei fod o'n siarad trwy ei het,
yn ôl ei lais o mae o'n siarad trwy ei din.

Eirug Wyn / GL

Porth Ceiriad yn yr Haf

Am
Pryfaid traeth yn cerdded dros fy mol;

Dm
Swagrwrs Lerpwl gydag ambell ddol;

Em   Dm
Dyn mewn dec-chair efo'i gan o Skol;

Em
– Sut mae dygymod â Phorth Ceiriad yn yr haf?

Am
Trwynau cardbord, pâr o fronnau pinc;

Dm
Sŵn y radio'n forthwyl ar gwt sinc;

Em   Dm
Hulpan wlyb yn cosi cefn rhyw grinc;

Em   Am
– Sut mae dygymod â Phorth Ceiriad yn yr haf?

   Dm   Em   Am
Dywedwch wrth greadur sydd â'i galon o yn glaf,

Dm   Em
Sut mae dygymod,

Em   Am
– Sut mae dygymod â Phorth Ceiriad yn yr haf?

Haul cur pen yn llawer iawn rhy boeth;
Ffŵl cap pig yn cogio'i fod o'n ddoeth;
Dynes foliog flewog bron yn noeth;
– Sut mae dygymod â Phorth Ceiriad yn yr haf?
Hyd y traeth, papurau sglein King-Côns;
Coesau a phenolau fel king-prôns;
Finna efo tywod lond 'y nhrôns;
– Sut mae dygymod â Phorth Ceiriad yn yr haf?

C   Bb   C   Bb
Fry uwch y bae mae llwybr y clogwyn

C   Bb   C   Bb
Ac yno mae fy mhen yn glir,

F   Eb   F   Eb
Mae'r Eifl a'r Garn ar y gorwel,

F   Eb   F   Eb
Hen filwyr Llŷn yn dal eu tir;

Dm   Em   F   Em
Islaw mae'r tonnau'n taro'r graig a chwalu'n llaeth,

   Dm   Em   F   G   Am
Ond sefyll y mae hon a symud y mae'r traeth.

Myrddin ap Dafydd

Stella ar y Glaw

Db   Ab7
Daeth haf a heulwen ar y sgrîn

        Db   Ab7
        pan oedd y gaea'n ddrwg ei hin,

Db   Ab7
Cynnig gwyliau ar y traeth

        Db   Ab7
        a'r tywydd yma'n mynd yn waeth

Bbm   Gb
Ond bellach mae'n Fehefin

                Ab   Db   Ab7   Db   Ab7
        ac mae'r ticed yn y drôr,

Bbm   Gb
Mae'n hindda ar y bryniau,

                Ab   Db   Ab7   Db   Ab7
        does dim awydd croesi'r môr

Gadael Cymru'r awyr las am Riviera'r tywydd cas,
Glaw t'rana ar y Côte d'Azur yn troi'r siampên yn finag sur;
Mae dagrau ar y palmwydd wrth redeg 'draws y sgwâr
I ruthro mewn i'r café i gael Stella wrth y bar.

        Bbm
        Bb   Ab
Mae Stella, mi wela'

        Bbm
        G   Gb   Bb   Ab   G   Gb
yn well nag ymbarela;

Eb
Gwynebau hirion maes o law

Gb
Yn troi i chwerthin, waeth be ddaw

            F   Bbm
Wrth gael Stella ar y glaw:

190

```
B♭m
Bb          Ab
```
O Stella, o Stella,

```
B♭m
G           Gb          Bb    Ab    G     Gb
```
o'm dolur ymdawela'

```
F           F7      B♭m
```
Wrth gael Stella ar y glaw.

Il pleut, il pleut en vacance, il pleut, il pleut au Provence,
Oi garçon, wel c'est la vie, ty'd â Stella mawr i mi,
Mae'r haul 'di mynd ar wyliau ers inni alw draw,
Glaw t'rana'r Riviera, rhaid cael Stella ar y glaw.

Sgid gan Citroen ar y stryd, y glaw yn dod i lawr o hyd,
Dyn mewn shorts yn big dros ben, a'i wraig yn wlyb mewn
si-thrŵ wen,
Ond heulwen sy'n yr hylif sy'n felyn ar y bar
Ac mae pob un yn gwenu yn y café ar y sgwâr.

Myrddin ap Dafydd

Cawod Eira

D   Em7   A   G
Hanner awr ar gornel glyd y bar,

D   Em7   A   G
Un neu ddau â'u llygaid braidd yn sgwâr,

Bb   F   G
Roeddwn innau wedi cael fy siâr

  F#m   Em7   A
Pan hwyliodd hi i mewn i 'mywyd i;

D   Em7   A   G
Pluen eira'n chwarae 'ngolau'r nos,

D   Em7   A   G
Roedd ei chwerthin yn ei gwneud hi'n dlos,

Bb   F   G
Torri gair, a minnau'n tynnu stôl,

  F#m   Em7   A   D
A hithau'n tynnu 'nghalon ar ei hôl.

Bb   F   Eb   F
Dim ond cawod eira ar ddechrau Mawrth oedd hyn,

  Bb   F   Eb   F
Ond wedi iddi ddisgyn yr oedd fy myd yn wyn;

  A   E   D   E
Daw eto wynt y meiriol a'r gwanwyn ddaw i'n cwrdd

    A   E   D   E   A
Ond mi fydda i'n dal i wylio ôl ei thraed yn cerdded i ffwrdd.

Wyddwn i ddim, wrth bwyso ar y pren,
Y medrwn innau eto golli 'mhen,
Wyddwn i ddim ei bod hi'n noson wen,
Nes hwyliodd hi i mewn i 'mywyd i;

Dim ond cawod eira, ond mae'n newid byd,
Mae'n wynnach nag y bu ers dwn i'm pryd,
Trio ei hanghofio hi, ond i be?
Mi roth hi ar y ddaear ddarn o'r ne'.

Cau y bar a cholli'i chwmni hi,
Criwiau'n chwalu fesul dau neu dri,
Gadael gwên a geiriau gyda mi,
A hwyliodd hi i ffwrdd o 'mywyd i.

Myrddin ap Dafydd

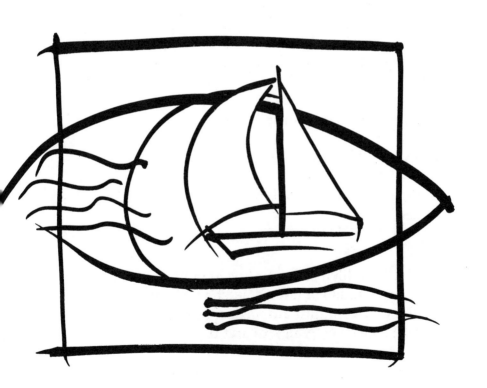

A470

Dm
Mae hi'n estyn at y gorwel drwy'r glaw mân,

Dm   Am7   A7
mae hi'n chwarae ar fy meddwl fel hen gân,

        Dm
        D   C   B   Bb
dim ond 90 milltir pellach ac fe fydda i'n gweld y môr,

        Dm   Am7   F   Em   Dm
mae'r A470 yn fy arwain i yn ôl.

Dwi'n gwbod lle ga' i gyfle i roi 'nhroed lawr,
yn y drych fe wela' i olau cynta'r wawr,
dim ond 90 milltir arall meddai'i llygaid wrtha' i,
mae'r A470 yn fy arwain atat ti.

Gm
Drwy Merthyr a dros y Bannau,

Dm
a Chlywedog yn y niwl,

Am   Gm
rhywle heibio'r gornel nesa

Am   A7
fydd hi i gyd lawr rhiw:

Mae hi'n dilyn siâp y tir 'ma ar ei hynt
ac yn gwrando ar donfeddi ucha'r gwynt,
dim ond 90 milltir eto meddai'r radio wrtha' i,
mae'r A470 yn fy ngyrru atat ti.

Iwan Llwyd

Yr Hen Leuad Felen a Fi

```
C          Am          G            C      Am     G
```
Cusan y gwlith ar St Stephen's Green
```
C             Am          G          C      Am     G
```
ac ogla coffi o'r caffi lawr yn Grafton Street;
```
F              G
```
y wawr yn codi fel brenhines
```
F              G
```
efo cyfrinach i fyny'i llawes
```
F          Dm          G  F
```
am yr hen leuad felen a fi . . .
```
C      Am      G      C      Am      G
```


Ffeindio cornel dywyll yn McDaid's,
pob joch o Guinness yn dod â fory'n nes;
oriau'n pasio fel munuda'
daw atgofion 'nôl o rwla
am yr hen leuad felen a fi . . .


```
Eb                     Ab
```
Rhwng y snyg a'r stryd mae'r straeon
```
   Eb                  Ab
```
yn llenwi'r nos a sgwrs angylion
```
Eb  Ab                 Bb  F
```
a'u siarad yn gariad i gyd . . .
```
C      Am      G      C      Am      G
```


```
F          G
```
Wrth iste yn y mwg 'ma
```
F          G
```
daw amheuon du o rwla
```
F          Dm          G  F
```
am yr hen leuad felen a fi . . .
```
C      Am      G      C      Am      G
```

Iwan Llwyd

Tŷ Hanner Ffordd

```
G                         F              C
Lladd amser mewn maes parcio'n gwylio'r ceir yn llusgo heibio,
G                    F         C
newyddion heno'n llifo gyda'r glaw,
G                    F            C
Van the Man ar y radio'n canu twraralaladio,
G               F          C
cariadon yn mynd adre law yn llaw:
```

```
         Em
dyma fo ar hanner ffordd i unman,
       D
hanner ffordd i gerdded allan,
     F
hanner ffordd rhwng cân a chrio,
     D
hanner ffordd rhwng cwsg ac effro,
 G              F        G      C
ar ben ei hun mewn tŷ hanner ffordd,
     G                   F       G    C
yn cadw'i gwmni'i hun mewn tŷ hanner ffordd.
```

Chwech o'r gloch y bore a 'di byth 'di cyrraedd adre,
y wawr yn torri'n gynnar drwy y dre,
yn sbio'n slei dros sil y ffenest, yn sbecian dan y matres,
yn codi cwr y cyrtens ac yn trio codi gwên:

dyma fo ar hanner ffordd i unman,
hanner ffordd i gerdded allan,
hanner ffordd rhwng cân a chrio,
hanner ffordd rhwng cwsg ac effro,
ar ben ei hun mewn tŷ hanner ffordd,
yn cadw'i gwmni'i hun mewn tŷ hanner ffordd.

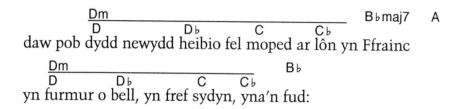

daw pob dydd newydd heibio fel moped ar lôn yn Ffrainc

yn furmur o bell, yn fref sydyn, yna'n fud:

Ogla bragu ar y barrug, cwrw stêl a chur pen unig,
cofio cân o rywle sy'n dod â'r cyfan 'nôl;
canwr gwlad dan y golau melyn
                    yn canu 'I just can't help believin,'
mae 'na gysur o hyd ym mreuddwyd roc a rôl.

dyma fo ar hanner ffordd i unman,
hanner ffordd i golli'r cyfan,
hanner ffordd rhwng meddwi a maddau,
hanner ffordd rhwng dwrn a dagrau,
ar ben ei hun mewn tŷ hanner ffordd,
yn canu'i gân ei hun mewn tŷ hanner ffordd.

Iwan Llwyd

Dewi, Stwmp a Siôn

Ab   Cm
Tri mis ar ddeg o garchar cyn clywed achos llys,

Ab   Cm
Tri mis ar ddeg heb brofi, doedd y gyfraith ddim ar frys,

Eb   Db   Eb   Db
Tri mis ar ddeg i wasgu eu cyfaddefiad nhw,

Eb   Db   Ab   Eb7   Ab
                                 C   Bb
Tri mis ar ddeg i gasglu eu tystion o dan lw.

Wrth fesur eu cyfiawnder, eu clorian sydd yn gam:
Y ddau Darvell a Guildford, Judith Ward a Birmingham:
Roedd breuddwyd yn troi'n gynllwyn pan ddaethant ar eu praw,
Roedd weiren o dystiolaeth yn bigog maes o law.

     C   Em   Dm7   Eb
Y tri yn sefyll yn y tân,

     C   Em   Dm7   Eb
Ein dwylo ninnau i gyd yn lân,

      Em   Eb   Dm7
Mor hawdd yw trechu dim ond tri

    G   Eb
sy'n sefyll ar wahân.

Y nhw fu mor gyhoeddus a'u lliwiau'n llond y stryd,
Yn siarad yn rhy lafar a ninnau i gyd yn fud,
Y nhw fu'n creu embaras â geiriau'r crysau T,
Yn ffyliaid bach dros Gymru, y nhw yw'n meibion ni.

Yn euog neu'n ddieuog mae naill ai nhw neu'r drefn,
Rhaid dewis cyfraith Llundain neu ddewis bod yn gefn,
Mae'n rhyddid ni ar fenthyg, mae tri 'di talu'r bêl,
'Di talu gyda'u hamser – mae un o hyd mewn jêl.

Myrddin ap Dafydd

Babi, Tyrd i Mewn o'r Glaw

```
G          D        Em  G
Babi, tyrd i mewn o'r glaw –
        C      G          Am     D
tyrd i rannu sgwrs yn y drws agored;
G          D            Em     G
babi, tyrd â chusan mewn llaw –
          C      G            Am      D
gawn ni sôn amdanom lle does neb yn clywed;
```

```
Em            D          C    G
Babi, bydd yn glên, tyrd â gwên i mi –
        Am7                    D
mae 'na le i gyfrinach mewn llaw,
Em          D          C     G
Babi, mae 'na sêr yn ein gwarchod ni –
          Am7                     D
maen nhw wedi rhoi man gwyn man draw . . .
                G    D   Em   G    C    G    Am   D
tyrd i mewn o'r glaw:
```

Babi, tyrd i mewn o'r glaw –
lle 'di golau'r stryd ddim yn dwyn cysgodion,
babi, does 'na'm gwybod be ddaw –
yr eiliad yma ydi'r oll sy' rhyngom.

Babi, tyrd i mewn o'r glaw –
dim ond ni ein dau biau'r nos a'r bore,
babi, drwy'r tywyllwch daw
hen leidr yr haul isio dwyn cymyle . . .

Iwan Llwyd

Anthracs

```
E              D            E            D
Mae'r haul yn machlud yn y dwyrain erbyn hyn
E         D        E        D
ac mae'r pryfed yn bla,
E              D            E            D
mae trwch o eira ar Ben Llithrig y Wrach
E           D      E  D
a hithau'n ganol ha':
E              D          E          D
nos Calan Gaea' mi glywais y gog,
E            D          E  D
mae dŵr Tryweryn yn hallt,
E            D                E            D
os oes 'na reswm yn Rhagluniaeth Duw
              E  D      E        D
dwi'm yn dallt . . .

G     D     Em        D      E        D      E      D
Ar yr awr dywyllaf fyddi di gyda fi?
```

Mae'r pegwn yn toddi, mae'n bwrw yn Sbaen,
mae'r Môr Marw yn fyw,
a ninnau'n morio ar y cefnfor mud
mewn llong heb ddim llyw:
mae'r sêr yn disgyn yn golsyn o'r nos,
fforestydd cyfan ar dân;
mae ymbelydredd yn ein cusan ni'n
ein sugno ni yn lân . . .

Ar yr awr dywyllaf fyddi di gyda fi?

Mae 'na dwll yn yr awyr tu hwnt i Wlad yr Iâ
lle gawn ni gyffwrdd â'r lloer,
ty'd i dorheulo wedi i'r dafarn gau
ar nos o Orffennaf oer;
gwynt traed y meirw'n rhewi dagrau plant bach,
cŵn Annwn 'nôl ar y stryd,
a ninnau'n heidio i ddal awyren i'n dwyn
dros ymyl y byd . . .

Ar yr awr dywyllaf fyddi di gyda fi?

Iwan Llwyd

Gwaed ar eu Dwylo

G   Em   C   Am
O Thomas John Williams, mi welaf dy fedd

D   C   G
ar gaeau glas Ffrainc sydd heddiw mewn hedd,

G   Em   C   Am
rwyt heddiw mor unig, mor bell o'r Fron Goch,

D   C   G
a'r pabi yn unig sy'n cofio'r gwaed coch;

G   Em   Am
mi welaf nad oeddet ddim ond deunaw oed

D   C   D
wrth ddisgyn i'r Somme – dyna'r hanes erioed:

G   Em   Am
wrth ymladd 'dros wledydd' a 'thros eu rhyddhau'

D   C   G
mi gefaist yn ddeunaw i'r ddaear dy gau.

D   C   G
Ond ni che'st d'alw'n arwr, na dy gyfri'n wladgarwr,

D   C   D
ac ni chwifiwyd y faner ar hanner y mast,

C   G   Em
ac ni wnaed uwch dy waed unrhyw wylo

G   C   D G
gan y rhai oedd â gwaed ar eu dwylo.

A phwy oeddan nhw ddwedodd wrthyt, ys gwn,
mai swanc oedd i lanc ysgwyddo y gwn?
a phwy oeddan nhw efo'u hiwnifform swel
a'th ddriliodd, a'th fartsiodd, a'th fwrdrodd mewn sbel?
Ni welaist trwy hyn tan rhy hwyr yn y dydd,
ni che'st ti mo'r cyfle i dyfu'n ddyn rhydd,
ond drwy'r mwg a thrwy'r medals wrth ddisgyn i'r llawr
mi welaist nad nhw fyddai'n wylo yn awr.

O Thomas John Williams, does iti ddim bedd
ond môr y Malvinas sydd bellach mewn hedd,
mi dynnwyd dy long gyda'r cyrff ar ei bwrdd
a'i gollwng i'r dyfnder o'r golwg i ffwrdd;
ac yna 'mhen blwyddyn dy deulu a ddaeth
i blannu blodeuyn wrth ymyl y traeth,
a meddwl y maen nhw, wedi gweld hyn i gyd,
pam fod Cymro yn gelain 'rochor arall i'r byd?

Mae dynion yn Llundain o'u seddau'n Whitehall
yn gyrru i ryfel rai byth na ddon' 'nôl,
o slymiau tre Glasgo', neu Gymru cefn gwlad
mae hogyn diniwed yn cyrchu y gad
i farw, neu ynteu i ladd ei gyd-ddyn
yn enw rhyw ryddid nas gŵyr o ei hun;
rwyt ti, Thomas Williams, dros ddim yn y byd
yn disgyn yn sglyfaeth i'r ffosydd o hyd.

Myrddin ap Dafydd

Nadolig yn Nulyn

      D   Bm   Em   A
Mae'n Nadolig yn Nulyn, a'r sêr ar y stryd,

     D   Bm   E7   G   A
a ffenestri'r siopa' yn eira i gyd . . .

     D   Bm   Em   A
yr haul ar y Liffey'n creu plentyn mewn crud.

       G   A   D A
Mae'n Nadolig yn Nulyn o hyd . . .

     Bm   E
Mae'n dechrau t'wllu'n gynnar, golau cannwyll ar y bar,

  Gmaj7   A
y tân yn llosgi'n isel a'r gwynt yn crymu gwar:

     Bm   E
ond mae'r hogia'n taro alaw'n Mother Redcap drwy'r prynhawn

  C   A
a hwyl yr ŵyl yn hawlio'r rhai â'r gwydrau a'r lleisiau llawn.

Mae cariadon yn ffarwelio, a'u dagrau'n gwlychu'r stryd
a sŵn y nos yn gusan hir, yn lleuad llawn o hyd:
fe gwrddwn eto rywbryd pan ddaw'r llong yn ôl i'r lan,
pan fydd roc a rôl carolau a thinsel ym mhob man.

    G   D   Em7
        F♯
Mae nodau'r ffidil eto'n dawnsio

          D   G   D   A7   D
                                     F♯ E
     rhwng y ceir yn Stephen's Green,

  G   D   Em7
           F♯
a'r ferch â'r llygaid duon dyfnion

         D   G   D   Em7   A7sus4 – A7
                         F♯
  yn bwrw'r bodhran ar ei glin.

Mae'n Nadolig yn Nulyn, a'r sêr ar y stryd,
a ffenestri'r siopa' yn eira i gyd . . .
yr haul ar y Liffey'n creu plentyn mewn crud.
Mae'n Nadolig yn Nulyn o hyd . . .

Iwan Llwyd

Syched

Em   G
Mae cariad ym myw dy lygaid,

Am   C
gwên ar wyneb plentyn bach,

Em   G
a'th eiriau'n llenwi'r gofod

 Am   C   B
rhwng y trawstiau gweigion yn fy mhen:

bore sadwrn arall
yn glawio ar y toeau gwlyb,
a'r ceir yn pasio eto
'run hen lôn a'r un hen dôn o hyd:

G   F   Em
ond mae'r stori wedi newid

          D
cenwch gân

G   F   Em
gyda'ch gilydd, bore newydd

          D
gwyn a glân

G   Am   C   D
mae'r hen destament ar ben

G   Am   C   D
ac mae drws yfory ar agor led y pen:

nos dan leuad unig
ar y traeth mae'r llanw'n troi
ac mae llongddrylliad neithiwr
yn sychu'n hallt ar dywod gwyn y bae:

ond mae'r stori wedi'i hadrodd
droeon o'r blaen
ac mae syched am gael clywed
geiriau'r gân
mae'r hen destament ar ben
ac mae drws yfory ar agor led y pen:

E♭   Cm
gwefusau'n crasu dan haul canol dydd
Gm   B♭
a'r lôn yn cosi gwadnau 'nhraed
E♭   Cm
ac mae syched am gael dawnsio yn rhydd
Gm   Dm   D
yn c'nesu'r corff, yn berwi'r gwaed.

Iwan Llwyd

Hotel Pierre

(Cyn mynd)

```
G         F              G         F
Adewais i rywbeth ar ôl yn y dafarn (cyn mynd)
G         F              G         F
heb i neb sylwi 'mod i wedi mynd,
G           F                    G         F
un gân ar y jiwcbocs oedd yn deud y cyfan,
G         F              G       F
un gân i gofio am gwmni hen ffrind.
```

```
Am                          D
Mae dydd Llun yn ddiwrnod stormus,
Am          C        D
mellt yn fy neffro cyn y wawr,
G         F           G      F
ond dydd Llun 'di'r unig ddiwrnod
G                     F          G     F
pan dwi'n falch i weld yr haul yn mynd i lawr.
```

Ddoth rhywun i siarad efo fi heno (cyn mynd)
ac mi fu raid imi dalu'n ddrud,
ac mi fu raid imi godi arian
o'r twll yn y wal ym mhen pella'r byd.

```
Em                       G
                         ─
                         D
Roedd yn rhaid i mi gynilo
   C            B7
a hel ceiniogau prin
Em                            G
                              ─
                              D
mi wnaeth rhywun siarad efo fi heno
   C                      B7 Am7   D
a minnau'n gwrando'r perlau prin.
G    F    G    F
```

Iwan Llwyd

Mynegai

Caneuon Geraint Løvgreen a'r Enw Da

Caneuon gan Feirdd Eraill